めまいは寝ては治らない【第7版】

実践！めまい・ふらつきを治す23のリハビリ

横浜市立みなと赤十字病院めまい平衡神経科部長 新井基洋 著

本書でご紹介するめまいのリハビリは、医師の診療を受けた上で実施されてください。医師からのめまい診断がない状態での単独での症状改善が保証されるものではありません。あくまで医師によるめまい治療、患者さんの行われているめまい治療を補助するものです。さらに、リハビリによる症状の改善効果には個人差がありますのでご了承ください。

中外医学社

もくじ

本文イラスト　与儀勝美

著者・出版社への、お電話等での個別のご相談にはお答えしかねます。訓練開始時やその過程で症状の一時的悪化なども十分ありえますので、必ずかかりつけ医が存在する状態で実施されてください。医師への具体的なご相談をご希望の患者さんは、横浜市立みなと赤十字病院めまい平衡神経科、またはお近くのかかりつけ医、耳鼻咽喉科、内科、神経内科、脳外科などを受診なさって診察の上、ご質問、ご助言を頂いてください。十分に注意されてリハビリを施行し、継続することで症状緩和に努めてください。何卒宜しくお願い申し上げます。　著者

第1章

めまいは寝てては治らない

＊めまいリハビリ継続のための5箇条　その❶＊
めまいは寝てては治らないことを忘れないでください。
めまいは寝てては治らないことを忘れないでください。

人間の成長とともに時間をかけて獲得してきた平衡機能は、めまい疾患によって、その日を境に機能低下や機能喪失を認めます。その失った機能を取り戻すのは並大抵な苦労ではありません。しかし、やる気があれば、時間がかかりますが、めまいリハビリで取り戻すことができます。

めまいの治療には 2 種類ある

めまいの治療には、大きく分けて「薬物治療」と「薬物治療以外の治療法」の２つがあります。薬物治療はめまい専門医のみでなく、一般的に行われていますが、それ以外の治療法はあまり普及しているとは言えません。

薬物治療以外の治療法の代表が、良性発作性頭位めまい症（BPPV）に対する耳石置換法（20 〜 23 番）と前庭（めまい）リハビリテーション（1 〜 19 番）です。本書およびアメリカのリハビリ学会では、これらをすべて含めたものを“平衡訓練”としています。勉強熱心な読者のなかには、日本のめまい学会における平衡訓練の基準も改訂されたこともご存じの方がおられるのではないでしょうか？　今回は、日本のめまい学会の平衡訓練の基準とアメリカのめまいリハビリ学会の５つの基本的考えにのっとり、Ⓐ〜Ⓔに分類して記載しています。

しかし、めまいリハビリを実施している医師はあまりいないのです。アメリカでは、主に理学療法士（リハビリの先生）がめまいリハビリの有効性から実施しており、今日ではめまいの標準的治療となっております。日

めまいリハビリの５つの分類

Ⓐ 体を動かしたときのめまい・ふらつきを治す機序を促進するリハビリ
Ⓑ 目と耳、耳と脊髄をつなぐ反射を鍛えるリハビリ
Ⓒ 耳の代わりに目と足の裏を活用するリハビリ
Ⓓ めまいを起こす動作に慣れるリハビリ
Ⓔ 耳石を元に戻すリハビリ

平衡訓練の基準の改訂ワーキンググループ．Equilibrium Res. 2021; 80: 591-9.
加藤 巧，他．Equilibrium Res. 2017; 76: 79-83 を基に作成

本でも耳鼻咽喉科専門医講習でもとり上げられる内容で、知らない医師はいなくなりました。前庭リハビリテーションについて詳しく知りたい方は、69 ページのコーヒーブレイクをごらんください。

「薬だけ」の治療では限界がある

薬物治療はもちろん必要です。でも「薬だけ」の治療に限界を感じていませんか？　特に、高齢者のふらつき、前庭神経炎やハント症候群、治りにくい良性発作性頭位めまい症（BPPV）といった病気の治療をする中

で、薬の限界を痛感しているのは、実は患者さんだけではありません。医師も、薬剤師も、みんなが同じように感じているのです。

ここでちょっと考えてみてください。医師は、患者さんのめまい発作が激しいときは、安静にして横になるように勧めますよね？　でもその後、坐ることができるようになる時期には、体を動かすことを推奨しませんか？実は、これがめまいリハビリの始まりなんです。

めまいは寝てては治らない！

患者さんは体を動かしたときのめまいが強いと、そのまま安静にしていようと考えます。無理もありませんね。しかしその結果、めまいやふらつきが慢性化し、ずっと続く状態に陥るのです。でも、医師がめまいリハビリを勧めてみたとしても、ふらつきによる不安や転倒の危険などのため、自分ひとりでリハビリを行うのをためらってしまう場合が大半です。ましてやそれを継続するのは大変難しいのです。怖いですからね。そのため、残念ながら、めまい改善効果は限定されてしまうのです。

このような状態を治すために、私たちは医師指導のもとでの正しいめまいリハビリを推進し、大きな効果を上げています。“めまいは寝ている”のでは治りません。正しくは“めまいは寝てては治らない”のです！

ふらつきも寝てては治らない！

高齢のめまい患者さんでは、めまいに加えて「ふらつき」を訴えるケースが多くみられます。歩くときにフワフワと雲の上にいるような感じがする、寝ているとき以外はずっとふらふらしている、といった訴えです。このような症状を包括するものとして「加齢性めまい」[※1]という概念が提唱されています。

めまいリハビリ（平衡訓練）は小脳の中枢代償を促すための訓練であることは後で述べます（85 ページ「めまいリハビリと中枢代償」参照）。高齢になると、このような小脳を含めた中枢神経系はもちろん、骨、関節、筋肉、そして末梢神経の機能も衰えてきます。これら

[※1]加齢性めまい：高齢者における比較的緩徐に進行する平衡障害で、著しい左右差を認めず、既知の疾患と診断できない、あるいは、単一の既知の疾患では存在する平衡障害全体を十分に説明できず、使用している薬剤の影響が平衡障害の主体ではない、加齢にかかわる複数の因子が関与した高齢者の平衡障害（室伏利久．めまいの診かた、治しかた．東京：中外医学社；2016．p.132）。

が、加齢性めまいの原因です。このような状態がひどくなると、立つ・歩くといった動作も困難になり、ひいては要介護や寝たきりにもつながります。

2019年の総務省統計によれば、日本の75歳以上の人口は総人口の約14.6%、65歳以上では28.4%に達しました。加齢性めまいは、日本のみならず、先進国全体の問題と言っても過言ではないでしょう。

ところでみなさんは、帰還した宇宙飛行士がリハビリに取り組む姿をニュースなどで目にすることがあると思います。重力のない宇宙空間では加齢と同じ変化が急速に進み、骨量は骨粗鬆症の10倍の速度で、ふくらはぎの筋肉は毎日1%ずつ、それぞれ減少すると言われています。ですから、帰還後のリハビリも必要になりますし、宇宙滞在中もトレーニングが行われているそうです。

地球上で普通の生活を送っている私たちも、30歳からは年に0.7%、60歳以上では年に2%ずつ筋肉が減少します（最近、このような加齢による筋肉減少をサルコペニア※2と呼ぶようになってきました。）。

※2 サルコ（sarx；sarco）はギリシャ語で「筋肉」を、ペニア（penia）は「喪失」を指します。

フレイル、サルコペニアとめまい・ふらつきのリハビリ

フレイルという言葉を聞いたことがありますか？　これは日本語で虚弱という意味です。昭和生まれのわれわれは、子どものころに、虚弱児という言葉を聞いたことがありましたね。平成・令和になりますと、虚弱児はほとんどいません。しかし、虚弱高齢者が増えてきたのです。ではここで、フレイル（虚弱）を説明します。

2014 年５月、「フレイルに関する日本老年医学会からのステートメント（公式の声明）」が出ました。「フレイル（Frailty）」とは、アメリカの研究者であるFreidらが提唱した概念で、要介護状態に陥る前の高齢者の虚弱した状態を指します。具体的には、次ページに挙げる５項目のうち、３項目を満たす病態がフレイルとされています。前述の老年医学会の声明は、フレイルの予防・治療の重要性を指摘し、要介護高齢者の減少、高齢者の「生活の質（QOL）」の向上を目指すものです。

この前の項で、加齢による筋力の低下を「サルコペニア」と呼ぶことに触れましたが、上記の項目中に「⑤筋

フレイル診断のための５項目

① 体重減少（半年で２～３kg 低下）

② 自覚的疲労感

③ 活動量の低下（軽い運動・体操をしていない）

④ 歩行速度の低下（秒速１m 未満）

⑤ 筋力（握力）の低下（男性：26 kg 未満、女性：18 kg 未満）

力の低下」が含まれている通り、サルコペニアもフレイルという病態と重なる概念であり、高齢者の身体機能を維持して寝たきりを防ぐためのキーワードとしても注目されています。これに対処するためには、無重力に耐える宇宙飛行士と同じようにリハビリが必要なのです。

　また、筋力低下と歩行速度の低下は、ふらつきの症状の原因となることも実感されると思います。このように、めまい・ふらつきのリハビリは高齢者の身体機能を考える上での新しい概念とも密接に関連しています。打倒サルコペニア、打倒フレイルのために、めまい・ふらつきリハビリに積極的に取り組んで、何歳になっても寝たきりになることなく、元気に過ごせるようにがんばりましょう！

第2章

めまいのリハビリレッスン

＊めまいリハビリ継続のための5箇条　その❷＊

継続は力なり、小脳を日々鍛えよう!
(リハビリも勉強と一緒)

レッスンの前に

めまいリハビリは、平衡機能回復を目的とした訓練です。運動するときの体のズレを修正する機構（医学用語で立ち直り反射といいます）を回復させます。歩いていると、体が左右一方に偏っていくことがありますよね？これを偏倚（へんい）現象といいます。これも治ります。医師はゴーグルをつけて皆さんの目を見たでしょう？　これは皆さんの目を見ることで、「病的眼振」を見ているのですよ。病的眼振とは、目が自分の意志ではなく、勝手に動くことです。そしてこれはバランスの左右差を意味するのです。めまいリハビリは、この病的眼振（＝バランスの左右差）を軽減することを目的とした訓練なのです。

そして、努力した練習の効果や、習得された機能は、小脳という平衡機能の中枢（親分）に学習記憶されます。そうです、勉強と一緒なんです。ですから、1回や2回の練習では効きませんよ！　めまいリハビリは、目（視刺激）、耳（頭部運動による前庭刺激）、首（頚部の運動による前庭刺激）、足の裏（直立、歩行などによる深部感覚刺激）の反復刺激で構成されているのです。

めまいのリハビリレッスン

坐位でのリハビリ

レッスン1　坐位でのレッスン①（目線を変えたときのめまい改善）

1番　速い横　2番　速い縦
3番　ゆっくり横　4番　ゆっくり縦

レッスン2　坐位でのレッスン②（頭を動かしたときのめまい改善）

5番　ふり返る　6番　上下　7番　はてな

立位でのリハビリ

レッスン3　立位でのレッスン（直立時のめまい、ふらつき改善）

8番　立位開脚・閉脚　9番　継ぎ足　10番　片足立ち
11番　50歩足踏み　12番　つま先立ち

レッスン4　歩行のレッスン（歩行時のめまい、ふらつき改善）

13番　5m歩行　14番　5m 8の字歩行・5m継ぎ足歩行
15番　TUG test　16番　直径1m円周歩行
17番　ハーフターン　18番　歩行 応用編

★安定した固くて平らなところで行い、転倒防止を徹底させる。

仰臥位でのリハビリ

レッスン5　ベッド上（良性発作性頭位めまい症）のレッスン

19番　寝起き・寝返り　20番　自分で行うイプリ法
21番　グフォーニ法　22番　逆グフォーニ法
23番　ヘッドチルトホッピング

［コーヒーブレイク］

Coffee ＊ Break

小脳のはたらき

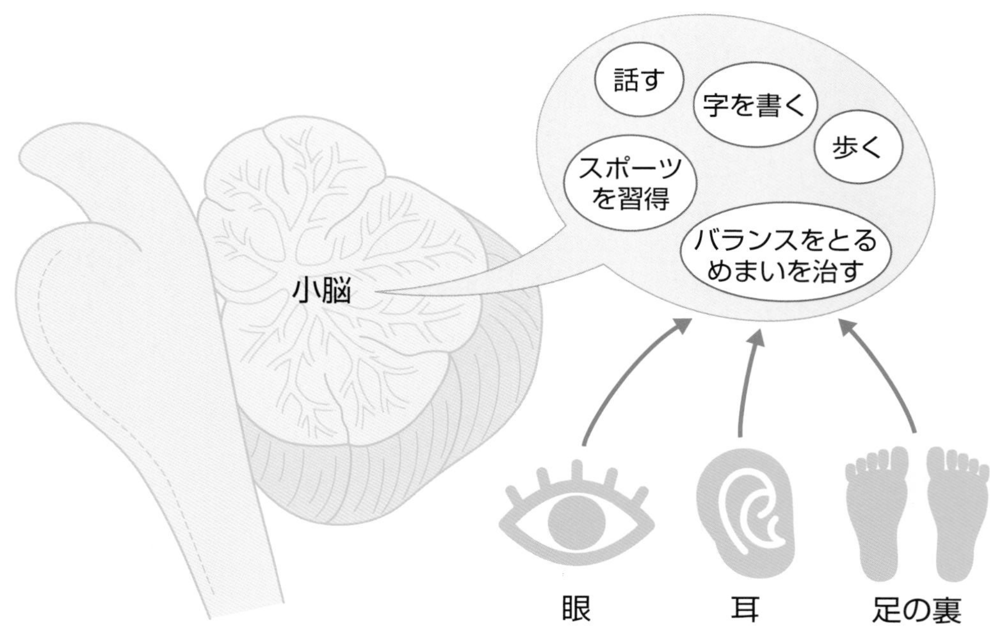

小脳には、体で覚えた（体得した）情報を入れるたくさんの引き出しがあります。たとえば、子供のころに一度自転車に乗れるようになれば、大人になってからも乗れますが、試験勉強で覚えたことは、翌日には忘れてしまいますね。病気で失ったバランスの状態を元に戻すためには、多くのバランス情報を再度入れる作業が必要です。この作業がめまいリハビリです。そのためには目、耳、足の裏から刺激を何回も入れなくてはなりません。

小脳の重さは、大脳の 10 分の 1 しかありません。それにもかかわらず、脳の神経細胞の大部分は小脳にあるのです（1000 億個以上あります）。伊藤正男先生は、小脳を大脳のシミュレーターと称し、「体で覚える記憶の座（中枢）」と表現しました。

レッスン1

坐位でのレッスン①

1番 速い横 Ⓓ

2番 速い縦 Ⓓ

3番 ゆっくり横 Ⓓ

4番 ゆっくり縦 Ⓓ

目的

目線を変えたときのふらつきを治す！

- 動体視力を鍛えることができます。
- 1番と3番から開始してください。
- 慣れたら2番と4番も追加しましょう。

ご自身でリハビリを実践される場合には、安全のため、本文中の注記事項をよくご確認の上施行してください。当初は1番から4番のリハビリを中心とされることをお勧めします。

1番 速い横 Dc

こんな方に効く!

急に左右に視線をかえたら"クラッ"となる。

- □ 横書きの文字を読むのがつらい。
- □ テレビのテロップや映画の字幕がつらい。

具体例

❗ 美術館で絵を見る視線を変えたら、クラ〜ッ

●肩幅より少し広めに
両手を開く。

●左右交互に
目玉だけで追う。

※頭は動かさない。
※腕を伸ばすのが辛い方は肘を曲げたままでもOK。
ただし、左右均等の長さにすること。
※慣れてきたら、立ってやってみましょう。

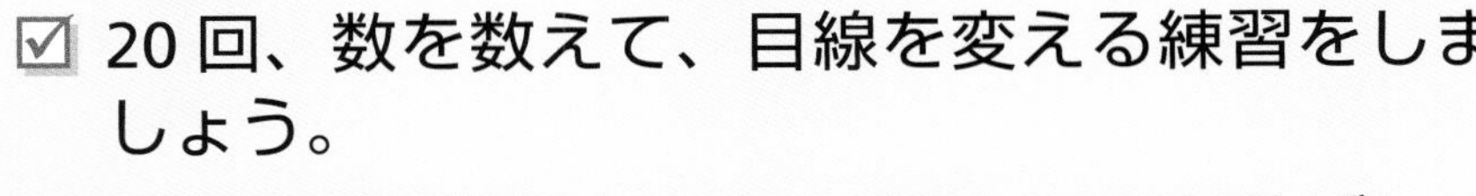

・スポーツ選手が動体視力を鍛えるトレーニングとして大はやり！
・動体視力を鍛えることができます。

☑ 20回、数を数えて、目線を変える練習をしましょう。

☑ 親指の爪が指標点です。手をしっかり伸ばし、親指の爪をしっかりと目で捉えてください。

☑ 家の廊下で歩きながらやってみましょう（63ページ）。

2番 速い縦 Dc

こんな方に効く!

急に上下に視線をかえたら“クラッ” となる。

- □ 縦書きの文字を読むのがつらい。
- □ 新聞や文庫本を読むのがつらい。

具体例

❗ 文庫本を読んでいると、クラ〜ッ

リハビリ

●利き手を上に。目玉だけ上下に動かす。

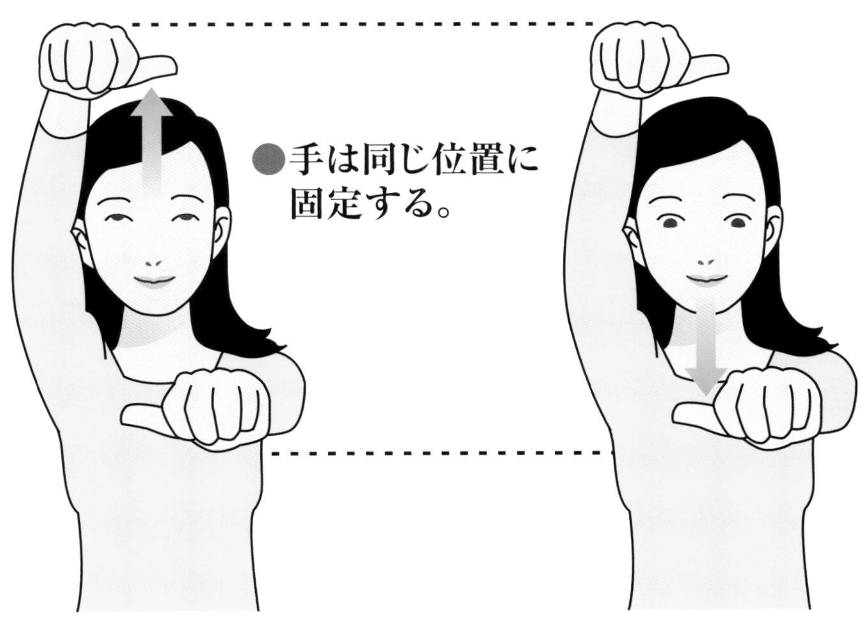
●手は同じ位置に
固定する。

※頭は動かさない。
※腕を伸ばすのが辛い方は肘を曲げたままでもOK。
ただし、左右均等の長さにすること。

- 動体視力を鍛えることができます。

実践のポイント

☑ 20回、数を数えて、目線を変える練習をしましょう。

☑ あなたの左手は伸びていますか？　ひじが曲がっていますよ。手をしっかり伸ばすのがポイントです。これも親指の爪が指標点です。

3番 ゆっくり横 Dc

こんな方に効く!

左右にゆっくり物が動くのを見ると“クラッ”となる。

□ 車窓の景色を見るのがつらい。
□ スーパーの商品を見るのがつらい。

具体例

❶ 電車に乗って、外の景色を見るとクラ〜ッ

JCOPY 498-06286

● 頭は動かさない。左手であごを押さえ、
右手を左右に動かし、目で追う。

※家族の方に目を見てもらうと、左方向・右方向のどちらが不得意かを知ることができます。
※慣れてきたら、立ってやってみましょう。

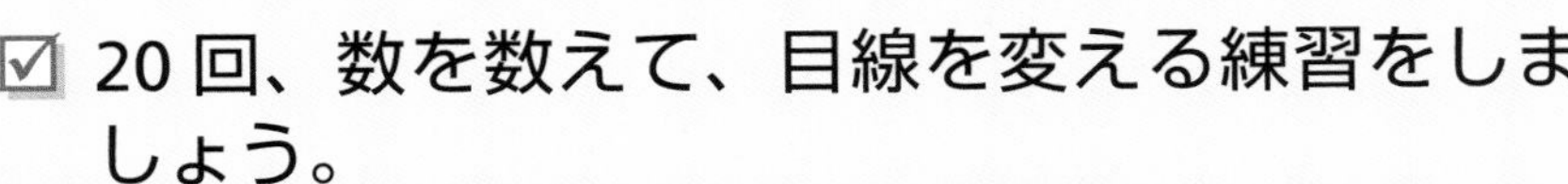

☑ 20回、数を数えて、目線を変える練習をしましょう。

☑ これも腕をしっかり伸ばしてください。ゆっくりで結構です。ていねいに親指の爪を目で追いかけてください。この運動はまさに小脳を使った目のトレーニングなのですよ。

4番 ゆっくり縦 Dc

こんな方に効く！

上下にゆっくり物が動くのを見ると"クラッ"となる。

□ エレベーターから外の景色を見るのがつらい。

❗ エレベーターのシースルー（外の景色）を見ると、めまいがする。高所に行くのが怖い。

●頭は動かさない。左手であごを押さえ、
右手を上下に動かし、それを目で追う。

※慣れてきたら、立ってやってみましょう。

・動体視力を鍛えることができます。

☑ 20回、数を数えて、目線を変える練習をしましょう。

☑ ゆっくりていねいに親指の爪を目で追いかけることができましたか？　左手の人差し指をあごにそえるのは頭を動かさないためです。目の運動ですから、頭がいっしょに動いてはいけませんよ。

1番から4番のまとめ

ポイント

- 目線（視線）を変えるとめまいがする方におすすめです。
- 親指の爪（指標点）を見るのが大事。
- 目線が爪からはずれると効果なし！
- 慣れてきたら、少しずつ速くしましょう。

質問

車窓の景色を見ると、まだめまいがします！
1番～4番のうち、何番をしたらよいですか？

“ゆっくり横”と口に出して練習しましょう！
大人になるとなかなか覚えにくいものです。声に出すことが大事なのです。

【答え】3番

ケータイ・スマートフォンなどの画面スクロールでめまいがするあなたは3番と4番をしてください。

レッスン2

坐位でのレッスン❷

5番 ふり返る Ⓑ

6番 上下 Ⓑ

7番 はてな Ⓑ

目的

頭を動かしたときのふらつきを治す！

- 首が悪い方は、5番、6番を極端に速く、多く行うことは避けるようにしてください。
- 5番、6番ができない方は、7番のみでOK。

5番 ふり返る Ⓑ Ⓐ

英語で yawing（ヨーイング）といいます。

こんな方に 効く!

人に呼ばれてふり返るときに“クラッ”となる。

具体例

❗ 人に呼ばれて、ふり返るとめまいがする。

●ひとことコラム●

「yaw」は、ヨットの用語でも使われます。

●身体の正面で親指を立てる。
●頭を左右30度ずつ回す。

※クラッとしても中止しない！　※手は動かさない。

- ヘッドインパルステストと同じ原理です（医師向け）。

実践のポイント

☑ 親指を見続けることは、結構難しいです。どちらか一方向を向いたときに、頭と一緒に指がついていき、目が親指から離れませんでしたか？　そちらの内耳が悪いのです（患側という）。

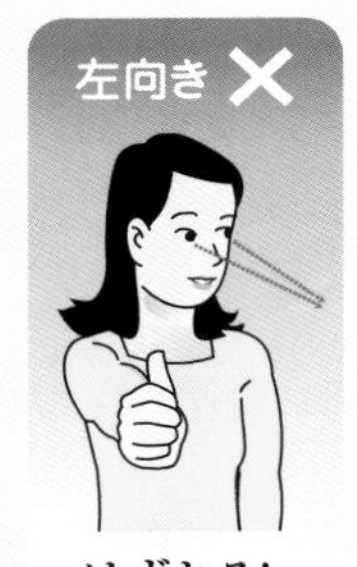

はずれる！

☑ 20 回、数を数えて、目線を変えずに頭を左右に動かす練習をしましょう。

☑ このリハビリでクラッとしても絶対に続けましょう！　めまいが治る大きな足がかりです。

3番+5番の応用

3番 ゆっくり横

●頭は動かさない。左手であごを押さえ、
右手を左右に動かし、目で追う。

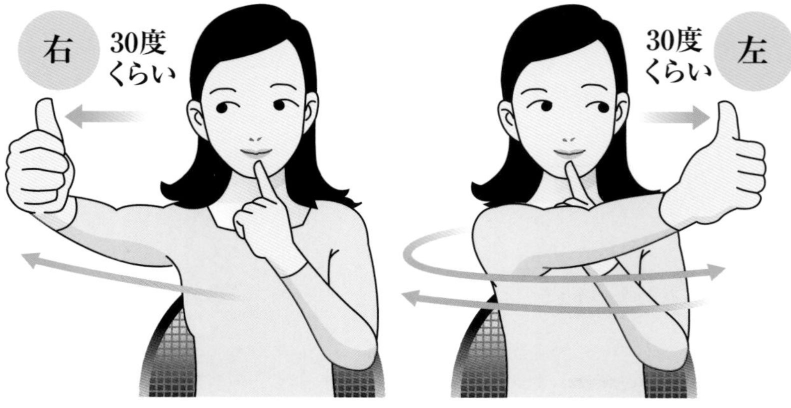

+

5番 ふり返る

●身体の正面で親指を立てる。
●頭を左右30度ずつ回す。

●顔は右、親指は左。

●顔は左、親指は右。

- ☑ 3番をしましょう。5番もしましょう。5番をしながら、3番を加えていきましょう。
- ☑ 頭部を左右（yaw）方向に回転させながら、頭と反対方向に親指を動かしつつ、指標である親指の爪から目を離さないようにしましょう。
- ☑ 頭を振る角度は30度くらい、20回を目標にしましょう。指標がしっかり見えなかったりブレてしまうときは頭を動かす速さをゆっくりにしたり、頭を動かす角度を狭くしたりしてもOK。
- ☑ 訓練後めまい感が30秒くらいで軽快するくらいが適切な刺激ですよ。5分以上めまいが続くときはスピードをゆるめて、時間を短くしてもOKです。

※学会の指定の秒数もありますが、著者の新井はこのように指導しています。

上下 B A

英語でpitching（ピッチング）といいます。

こんな方に効く!

上・下を向くと“クラッ”となる。

具体例

下

- 顔を洗う
- 靴のひもを結ぶ
- 掃除機をかける
- 雑草をとる
- 小銭を拾う

上

- 上の物を取る
- 布団・洗濯物を干す
- 目薬をさす

- うがいをする

●腕を伸ばして、右手の親指で左側を指す。
●指を見ながら頭を30度ずつ上下する。

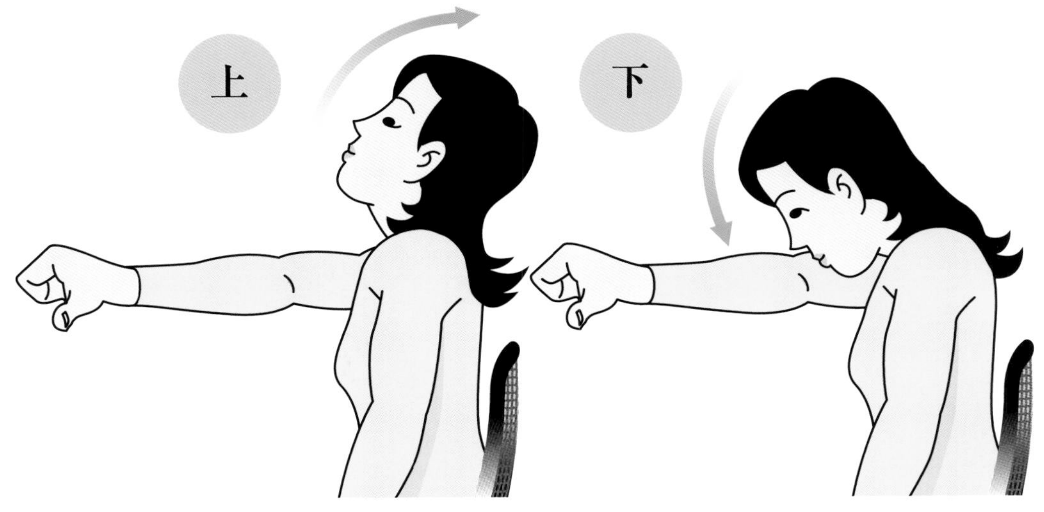

※手は動かさない。
※上を向くときに天井を見ない！　爪をしっかり見る。

☑ 20回、数を数えて、目線を変えずに頭を上下に動かす練習をしましょう。

☑ これ、メチャメチャ大事です。具体例を見てください。今あなたが悩んでいるものがあるでしょう？　それが治るんです！

☑ 首が悪い方や高齢者は、極端に速く、多く行うことは避けましょう。

4番＋6番の応用

4番 ゆっくり縦

●頭は動かさない。左手であごを押さえ、右手を上下に動かし、それを目で追う。

＋

6番 上下

●腕を伸ばして、右手の親指で左側を指す。
●指を見ながら頭を30度ずつ上下する。

●あごは下、親指は上。

●あごは上、親指は下。

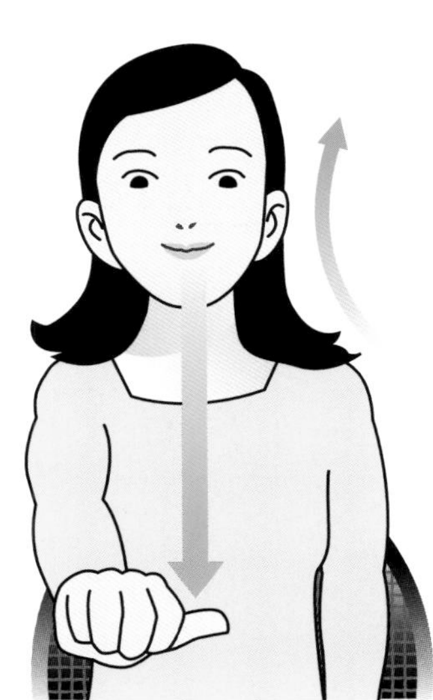

- ☑ 4 番をしましょう。6 番もしましょう。6 番をしながら、4 番を加えていきましょう。
- ☑ 頭と反対方向に親指を動かしつつ、指標である親指の爪から目を離さないようにしましょう。
- ☑ 頭を振る角度は 30 度くらい、20 回を目標にしましょう。指標がしっかり見えなかったりブレてしまうときは頭を動かす速さをゆっくりにしたり、頭を動かす角度を狭くしたりしても OK。
- ☑ 訓練後めまい感が 30 秒くらいで軽快するくらいが適切な刺激ですよ。5 分以上めまいが続くときはスピードをゆるめて、時間を短くしても OK です。

※学会の指定の秒数もありますが、著者の新井はこのように指導しています。

7番 はてな Ⓑ Ⓐ

英語でrolling（ローリング）といいます。

こんな方に 効く！

首を左右に傾けると“クラッ”となる。

☐ 難しい質問をされるとつらい。

❗「どっちの服が似合うと思う?」と聞かれて、「わからない」と答えたあとに、クラッ

JCOPY 498-06286

●腕を体の正面につきだし、
視線は親指を正視したまま、
首を左右にかたむける。

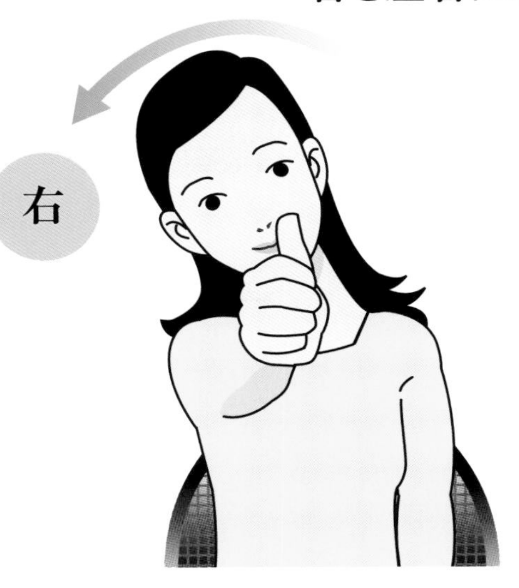

※手は動かさない。
※耳石器機能を鍛える大事な訓練!

- 耳石器を刺激する効果が期待できます。
- 自動車のフロントガラスの窓ふきをするとめまいがする方におすすめです。

☑ 20回、数を数えて、目線を変えずに頭を左右に傾ける練習をしましょう。
☑ 通称「はてな？のポーズ」と呼んでいます。

5番から7番のまとめ

ポイント

- 内耳を刺激して、小脳を鍛える訓練です。
- 頭を動かすときにめまいがする方におすすめです。
- 爪から目を離さない。
- 慣れてきたら、少しずつ速く頭を動かすようにしましょう。

質問

人に呼ばれてふり返るとめまいがします。5番～7番のうち、何番をしたらよいですか？

もう一度言いますが、あなたがふりむきにくい方向が悪い耳なのです。この運動イヤでしょ？ でも大事なんです。「クラッとしたら、避ける」から「クラッとしたら、やる！」に変えてください。

【答え】5番

［コーヒーブレイク］

Coffee＊Break

「めまいリハビリ」って本当に効くの？その根拠はなに？

→答えはフィギュアスケート選手の演技にあり！

フィギュアスケートの選手の、ダブルアクセルやトリプルアクセルなどの回転技を見たことがあるでしょう。ものすごい勢いで回転しているのに、選手たちはどうして目を回さずに次の演技に移ることができるのでしょうか？「生まれつき目が回らない体質なんでしょう」って？　いえいえ違います。すべて訓練の賜物なのです。スケート選手が回転後にも倒れないの

JCOPY 498-06286

は、日頃の練習でスケートがうまくなるだけでなく、回転した後の眼のゆれ（眼振）を急に止めることが可能なシステムを獲得しているからです。

これをめまいの実験で証明しているのが、「バラニーの回転椅子」を用いた回転後眼振検査というものです。これは、頭部を前屈した坐位の姿勢で目を開けたまま椅子に座り、椅子を回転させてから停止させた後の眼のゆれをみる検査です。回転停止後には、半規管の慣性による内リンパ流動により、回転後眼振という回転中と逆向きの眼のゆれが出現します。

しかし、何度もこの検査を行いますと、先ほどの回転を伴うめまい感と眼のゆれを打ち消そうとします。この止めた後の眼のゆれが出にくくなる現象を“RD（レスポンス・ディクライン）現象”と言います。医学的には、小脳片葉を介する前庭神経核抑制が起こるため、とされています。スケート選手の訓練もこれと同じなのです。だから、スケート選手は回転の後でも眼のゆれが起きにくいし、めまいが起きないんですね。

上記の実験やスケート選手の日々の練習と同じ経路をうまく使ってバランスの左右差を改善していくのがめまいリハビリです。

では、続いて、立って行うレッスンに入りましょう！

レッスン３

立位でのレッスン

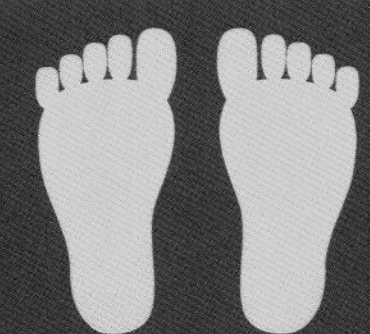

8番 立位開脚・閉脚 B

9番 継ぎ足 C

10番 片足立ち C

11番 50歩足踏み B

12番 つま先立ち C

目的

立ったときのふらつきをなくす！

＊めまいリハビリ継続のための5箇条　その❸＊

めまいリハビリは短所（不得意項目）を伸ばせ!

（得意な項目だけやってもだめ！）

8番 立位開脚・閉脚

B C

こんな方に 効く！

立ったままでいると“クラッ”となる。

- 目を開けて、「足を開いて30秒間」立ってみる。
- 目を開けて、「足を閉じて30秒間」立ってみる。

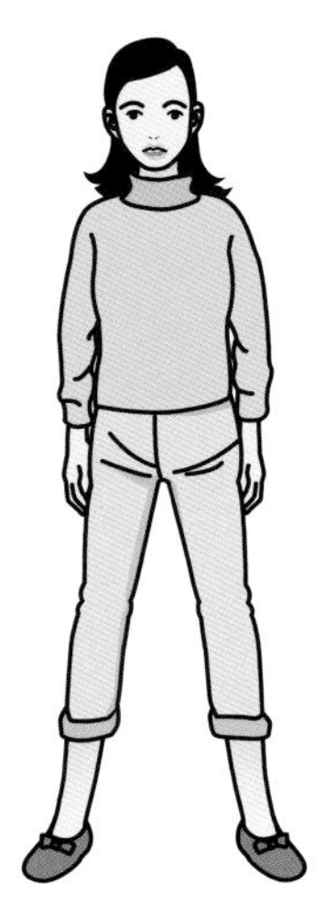

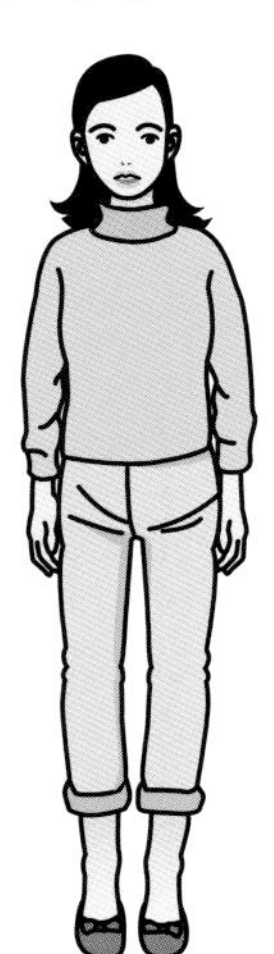

※ 慣れてきたら目を閉じてやってみる。

応用編

●慣れてきたらざぶとんの上でやってみましょう（まずは薄めのざぶとんから）。

●頭部と体幹を左右・前後に5〜10度くらい傾けて、その姿勢をまずは10秒間キープしてみましょう。

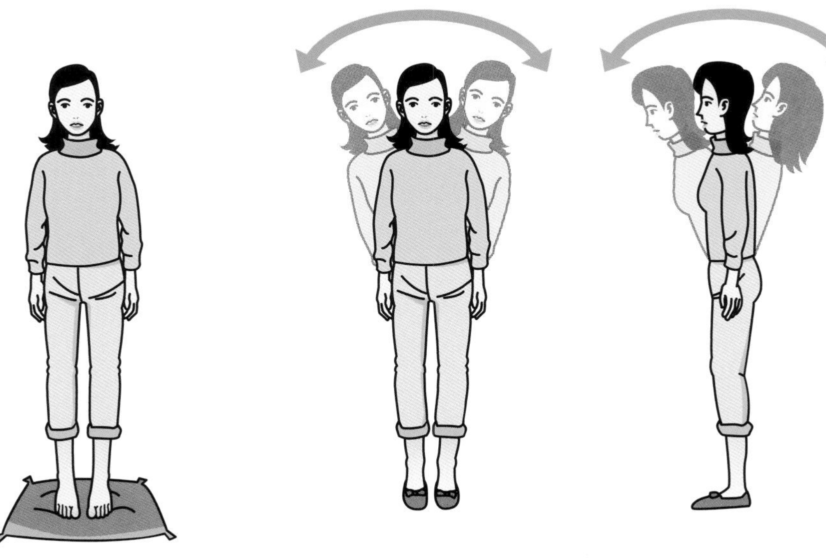

☑ 必ず 30、口に出して数えてみましょう。30 秒間なんです。

☑ あなたは早口で数えていませんか？　それでは 15 秒しか経っていませんよ。

☑ すべての運動の最終目標は 60 秒です。

9番 継ぎ足 Ⓒ Ⓐ

こんな方に 効く！

人混みをぬって歩くとき、ふらついたり、人にぶつかったりする。

❗ 混雑しているデパートの食品売場でうまく歩けない。

●継ぎ足（片足のつま先と反対の足のかかとをくっつける）で立つ。

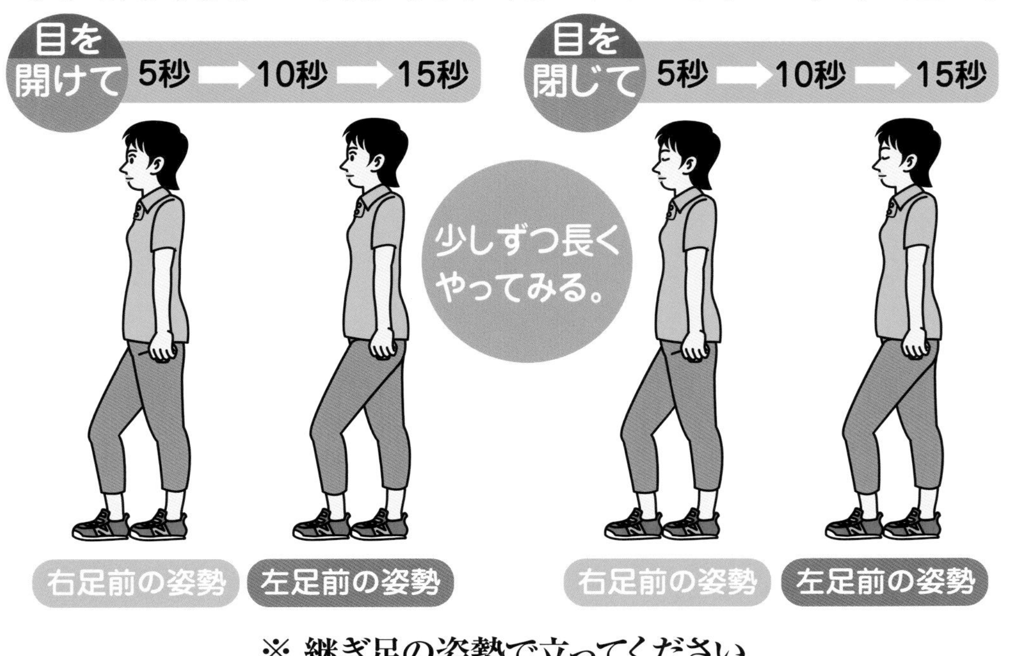

※ 継ぎ足の姿勢で立ってください。
※ 継ぎ足の歩行ではありません。

☑ 慣れたら継ぎ足の姿勢を 5 秒、10 秒と増やしていきましょう。閉眼 15 秒が最終目標です。

☑ 足の重心は前足でも後足でも真中でも、好きなところで結構です。真中がやりやすいという意見が多いです。

☑ 骨粗鬆症の方は特に転倒に注意してください。

10番 片足立ち Ⓒ

こんな方に効く!

階段を歩いていると、
“ヒヤッ” とする。

❶ 雨の日に傘をさして、
荷物をもって階段を
上り下りするのが恐い!

目を開けて片足立ち
支えあり

5秒 → 10秒 → 20秒 → 30秒

目を開けて片足立ち
支えなし

5秒 → 10秒 → 20秒 → 30秒

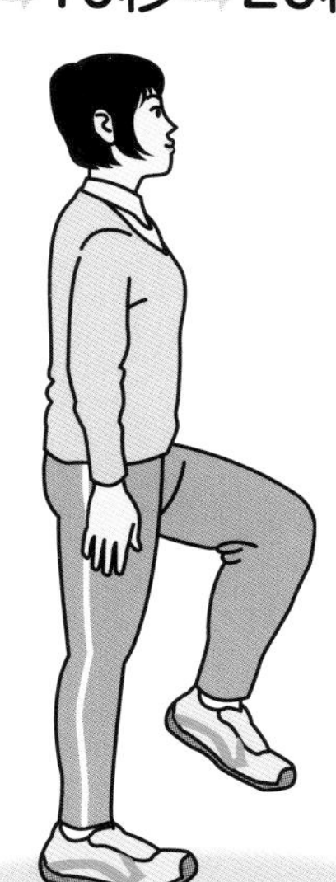

- 実は、ふみ外しやすい足は決まっています。
不得意な足がどちらか、見極めてください。

☑ 支えありの 5 秒から 30 秒を、右 3 回左 3 回、1 日 3 回行いましょう。

☑ 右足・左足どちらかを上げると、反対側に比べてよりつらくありませんか？　そちらを多めに練習しましょう。短所を克服してください。

☑ できたら支えなし開眼 5 秒にチャレンジです。

11番 50歩足踏み B C

こんな方に効く!

身体が左右に傾くかどうか、外出しても安全かどうかを見極めたい。

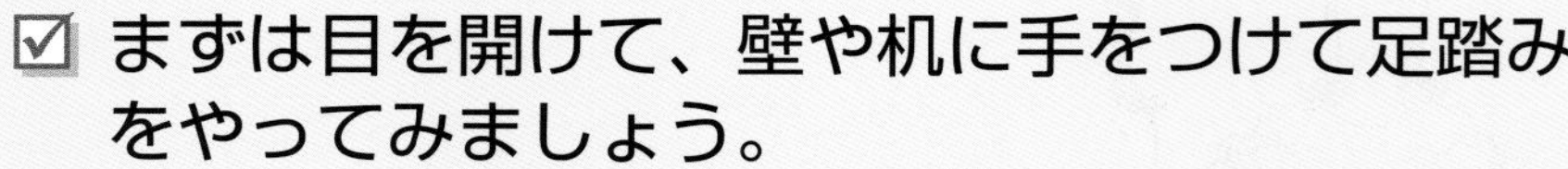

☑ まずは目を開けて、壁や机に手をつけて足踏みをやってみましょう。

☑ ふらつきが強い方は、下肢の筋力増強を目的に、目を開けて 50 歩もも上げの足踏みをすすめています。

☑ 慣れたら足をできるだけ高く上げてください。

☑ 手を肩の高さまで挙げながら足踏みするのがポイントです。

● まずは目を開けて、壁や机に手をつけて足踏みを行う。

● 両手を肩の高さまで上げ、目を開けて50歩足踏みを行う。
● 慣れたら目を閉じて50歩足踏みを行う。

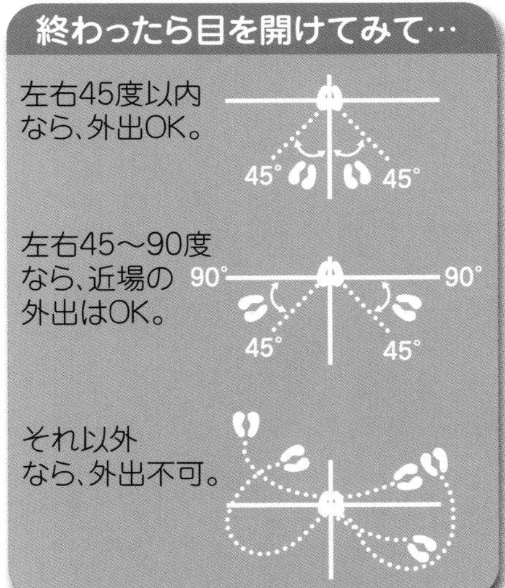

終わったら目を開けてみて…
左右45度以内
なら、外出OK。
45°
45°
左右45〜90度
なら、近場の
外出はOK。
90°
90°
45°
45°
それ以外
なら、外出不可。

※左右に身体が曲がっていく以上に、
後ろ方向への移動は要注意です！

12番 つま先立ち©

こんな方に効く！

立ち上がったとき、
歩くときにふらつく。

- ☐ 筋力の衰えからくるふらつきを予防します。
- ☐ 第二の心臓・下腿三頭筋（ふくらはぎ）を鍛えます。
- ☐ 高齢者のふらつきに効きます。

- ☑ 慣れるまでは、手を壁にそえたり、介助者をつけて行いましょう。
- ☑ 最初はかかとを少し上げる程度でも結構です。少しずつ高く上げるようにしましょう。

●介助者あり

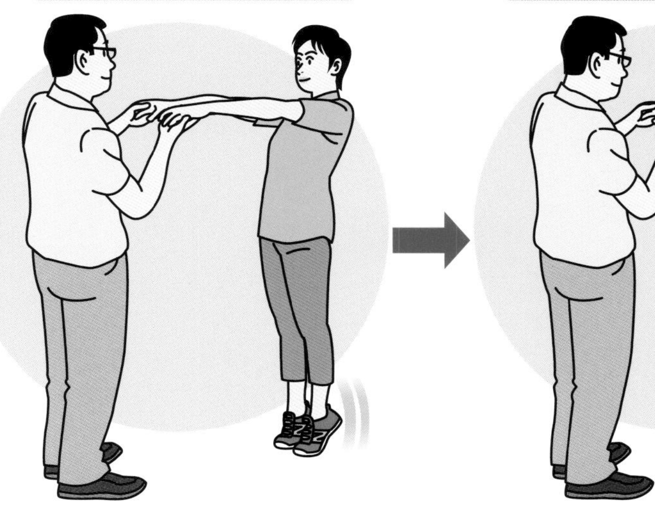

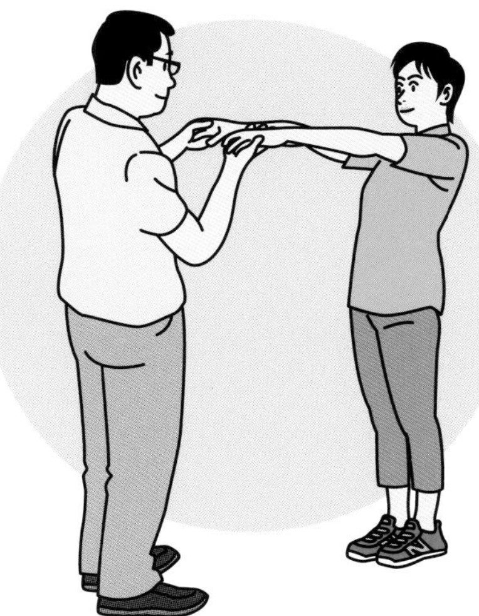

②ゆっくりかかとをおろす
①→②を10回繰り返す

●自分の指で体を支えて（慣れてきたら）

※「い～ち」とゆっくり数を数え、滞空時間を長めに。

Coffee＊Break

リハビリ施行の注意点

①リハビリは、安定した固くて平らなところで行うことが大事です。

②めまい、ふらつきが増悪しないように、毎日練習しましょう。一日サボると、取り戻すのに３日間かかります。

③立位の運動は、ペアで行って転倒を防止しましょう。めまいの仲間、友達を作りましょう。

④家族に介助してもらったら、必ず「ありがとう」を言いましょう。

⑤リハビリの前後には手洗いをしましょう。

レッスン4

歩行のレッスン

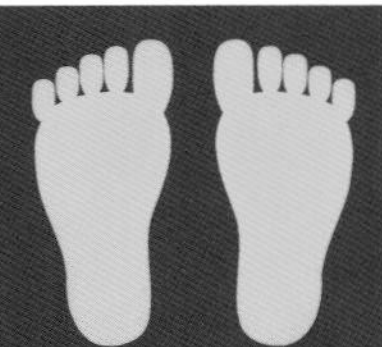

- 13番 5m歩行 Ⓐ
- 14番 5m 8の字歩行・5m 継ぎ足歩行 Ⓐ
- 15番 TUG test Ⓐ
- 16番 直径1m円周歩行 Ⓐ
- 17番 ハーフターン Ⓓ
- 18番 歩行 応用編 Ⓑ

目的 歩行時のふらつきをなくす！

- 転倒防止に最善の配慮をしてください。

13番 5m 歩行Ⓐ

こんな方に効く!

家でもつかまり歩き。
怖くて外出できない。

❶家の周り、近所の買物にも不自由する!

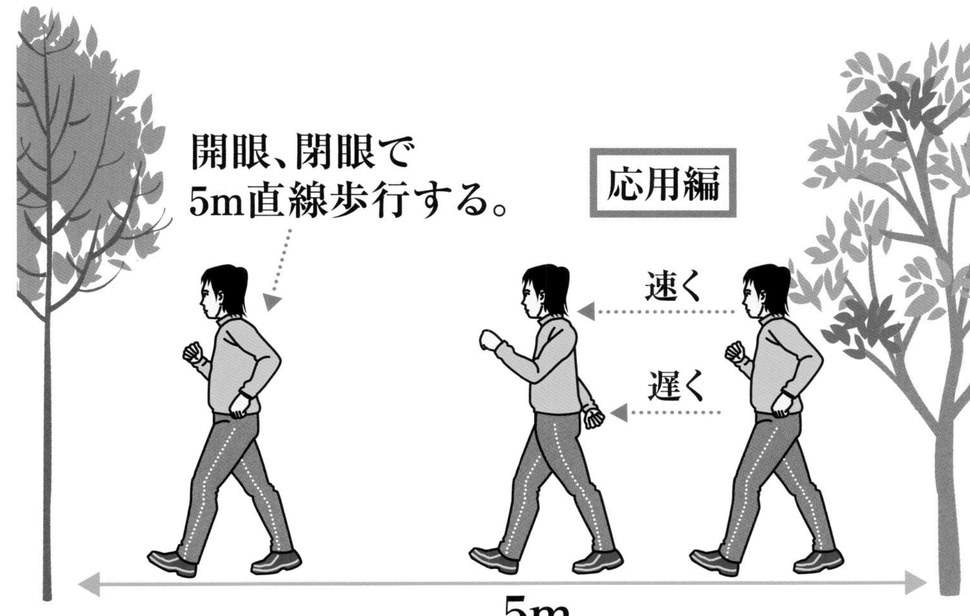

※慣れてきたら歩くスピードを変えてやってみましょう。

※ふつうに歩く ➡ 急に加速する ➡ 急に減速する。
減速のとき、耳石器を刺激できていますよ。これを繰り返して歩きましょう。

- ☑ 家族や友人のサポート・介助が不可欠。
- ☑ 前後、左右に転倒しないように目を配る。
- ☑ 骨粗鬆症の方は転倒防止に最善の配慮が必要。
- ☑ 慣れたら、夜道や暗がりも歩けるために、閉眼をしましょう。閉眼にすると左右どちらか一方に体が偏ることに気づいてください。

14番 5m 8の字歩行・5m 継ぎ足歩行 Ⓐ

こんな方に効く！

家でもプチ寝たきり。立ってもつかまり歩きが精一杯。

- ☑ 家族や友人のサポート・介助が不可欠。
- ☑ 前後、左右に転倒しないように目を配る。
- ☑ 転倒防止に最善の配慮が必要。
- ☑ 黙って歩くのではなく、「**治す！負けない！**」と口に出しながら歩く。

①並べたイスの周りを、8の字を描きながら5m歩行する（左周り/右周り）。

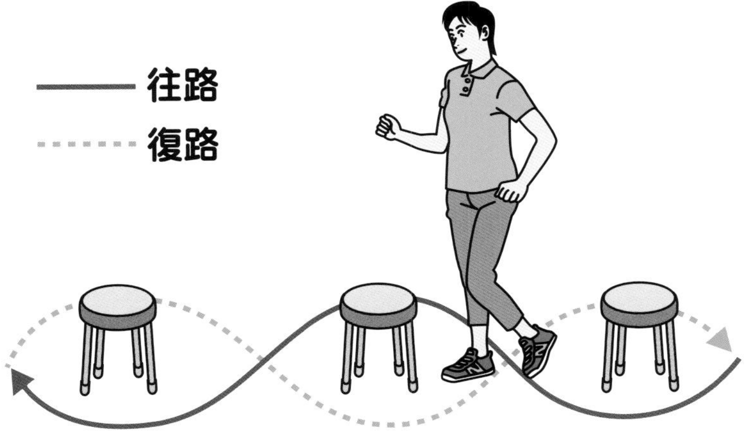

※イスを人に見立てて、人ごみの中を歩く練習をします。

②開眼で5m継ぎ足歩行する。

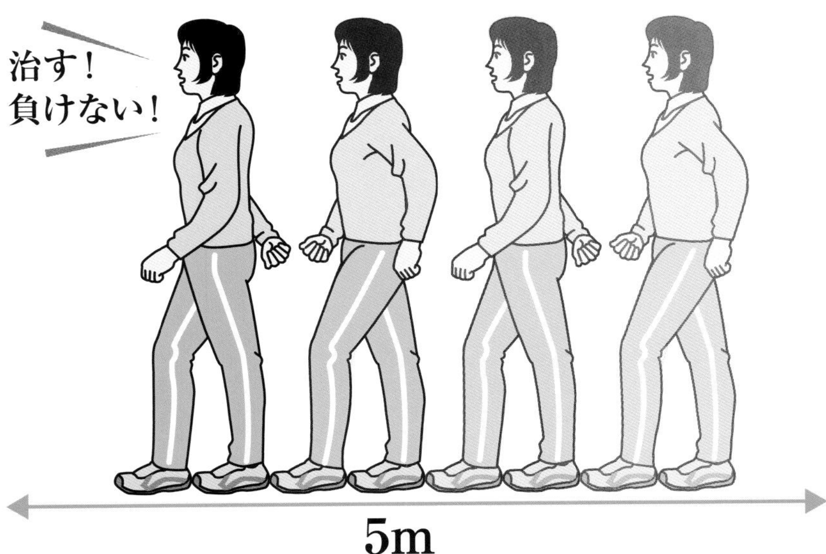

JCOPY 498-06286

15番 TUG test Ⓐ

こんな方に 効く!

急に椅子から立ち上がると“クラッ”となる。

- ☑ TUG test（またはTUG training）の目印は、ゴミ箱などを利用しましょう。
- ☑ 家族にストップウォッチで測ってもらいましょう。

※平衡訓練の基準の改訂ワーキンググループ．平衡訓練 / 前庭リハの治療基準．Equilibrium Res. 2021; 80: 591-9.

※岩崎真一．歩行機能と転倒．特集 高齢者のめまいを治す．耳鼻咽喉科頭頸部外科．2020; 92: 410-4.

- まずはこれ！ これができたらTUGをやってみましょう。
- 目を開けたまま、「立つ」「座る」を交互に行う。
  目を閉じて再度行う。

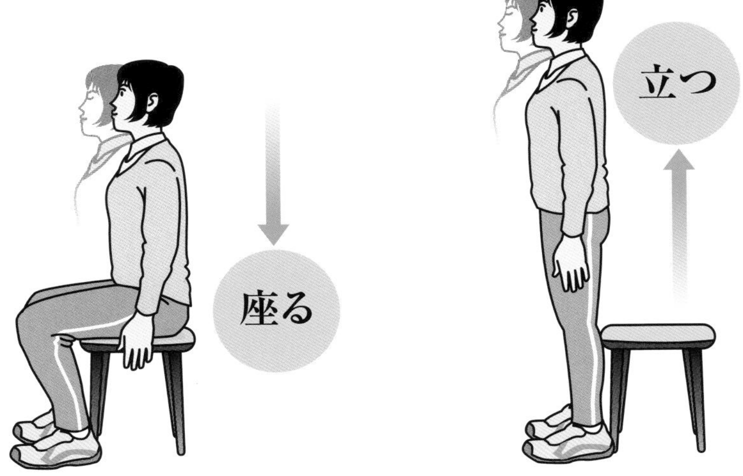

- 続いてTimed Up & Go (TUG) testです。
  椅子から立ち上がり、3m先の目印を回り、
  再び椅子に座るまでの時間を測定しましょう。
- 13.5秒以上は転倒リスクが高いです。

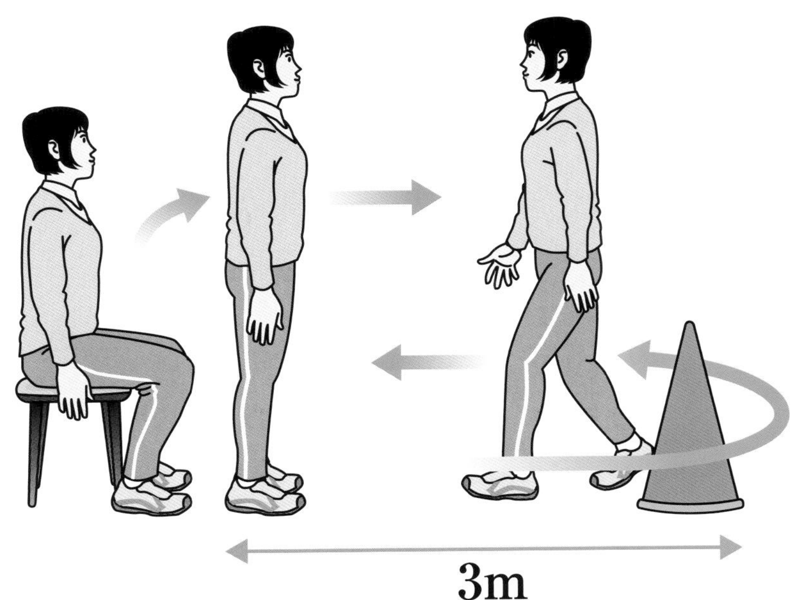

16番 直径1m円周歩行 A D

こんな方に効く！

らせん階段やエスカレーターを歩くと“クラッ”とする。

スケート選手もはじめは回転で転んでしまいますが、回転トレーニングで慣れていきます。回転することは、人工的なめまいに等しいのです。回転練習を経験すると早く治るので、円周歩行は効きますよ。

●目を開けて、右周りで5周。
●目を開けて、左周りで5周。

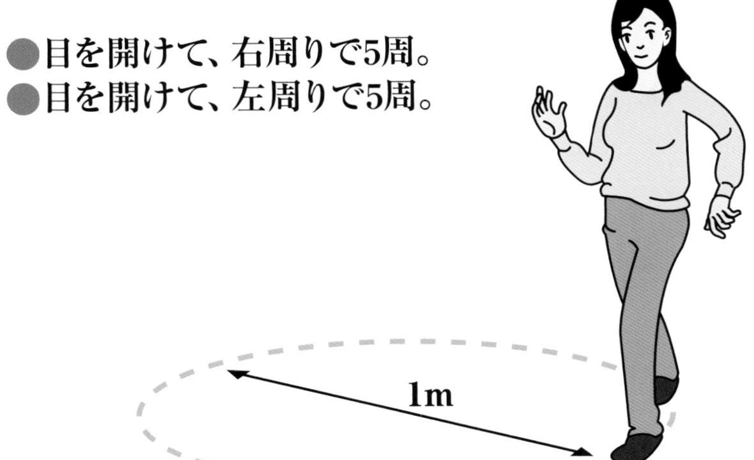

※右周りで歩くとクラッとする方、あなたの悪い耳は右です。リハビリ5番の練習中に右を向けますか？

※左周りで歩くと、クラッとしますか？
そうだとしたら、あなたの悪い耳は左です。

※3周目くらいでめまい感が強くなります。
でも、がんばりましょう。

☑ お散歩歩行は×。慣れたら速く歩きましょう。
☑ 人混みで他人の肩にぶつかってしまう方にもおすすめ。
☑ 転倒防止に最善の配慮が必要。

17番 ハーフターンⒹ

こんな方に効く！

角を曲がる、方向を変えるときにふらつく。

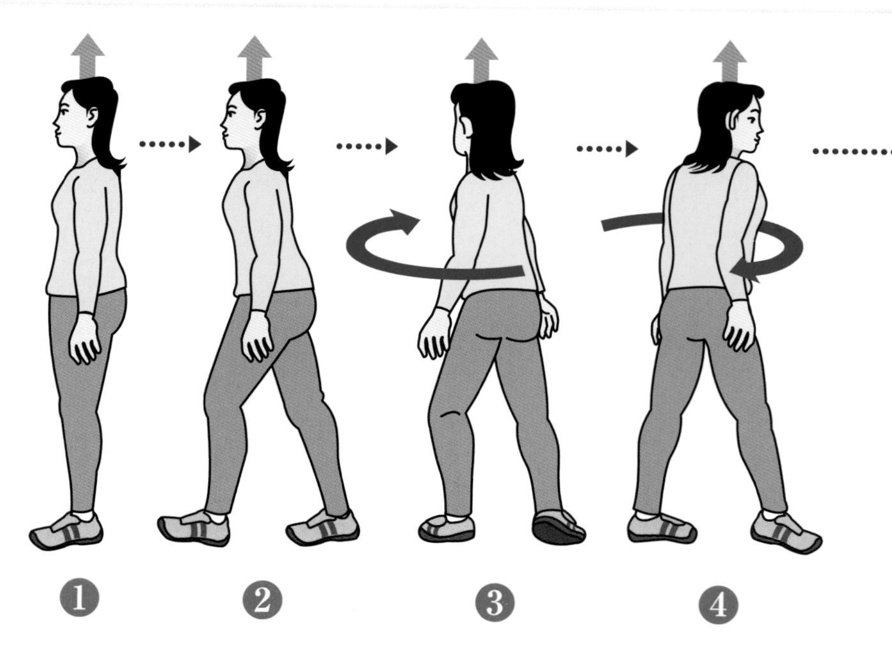

実践のポイント

- ☑ この動きは社交ダンスのマンボのハーフターンから取り入れています。回転練習がめまいに良いことは、35ページで言いましたね。これならあなたにもできます。やってみましょう！
- ☑ 右ハーフターンを連続3回、左ハーフターンを連続3回やってみましょう。
- ☑ 頭の軸が傾いてしまい、バランスが崩れる方が左・右どちらかに必ずあります。そちらを多めに練習しましょう。
- ☑ 壁など固定されたものにさわれる状態で行うと転倒の危険が少なくなります。

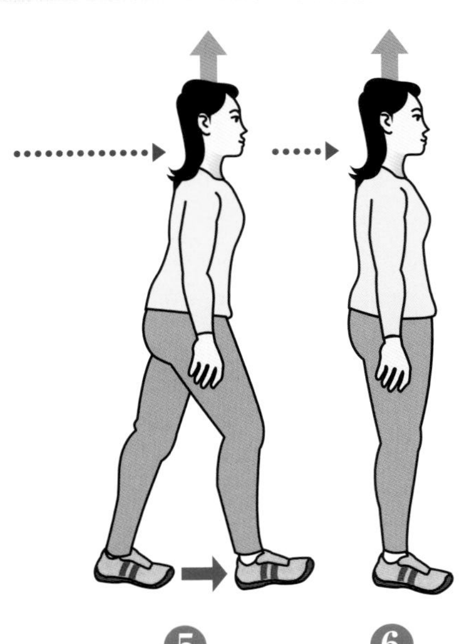

〈右ハーフターンの一連の流れ〉

❶ 足をそろえて立つ。
❷ 左足を一歩前に出す。
❸❹ 右にクルッと回る。
❺ 後ろ足（左足）を
前足（右足）にそろえる。
❻ 最初と反対を向く。

JCOPY 498-06286

18番 歩行 応用編 B

6番
上下

上
下

7番
はてな

右
左

5番
ふり返る

右
左

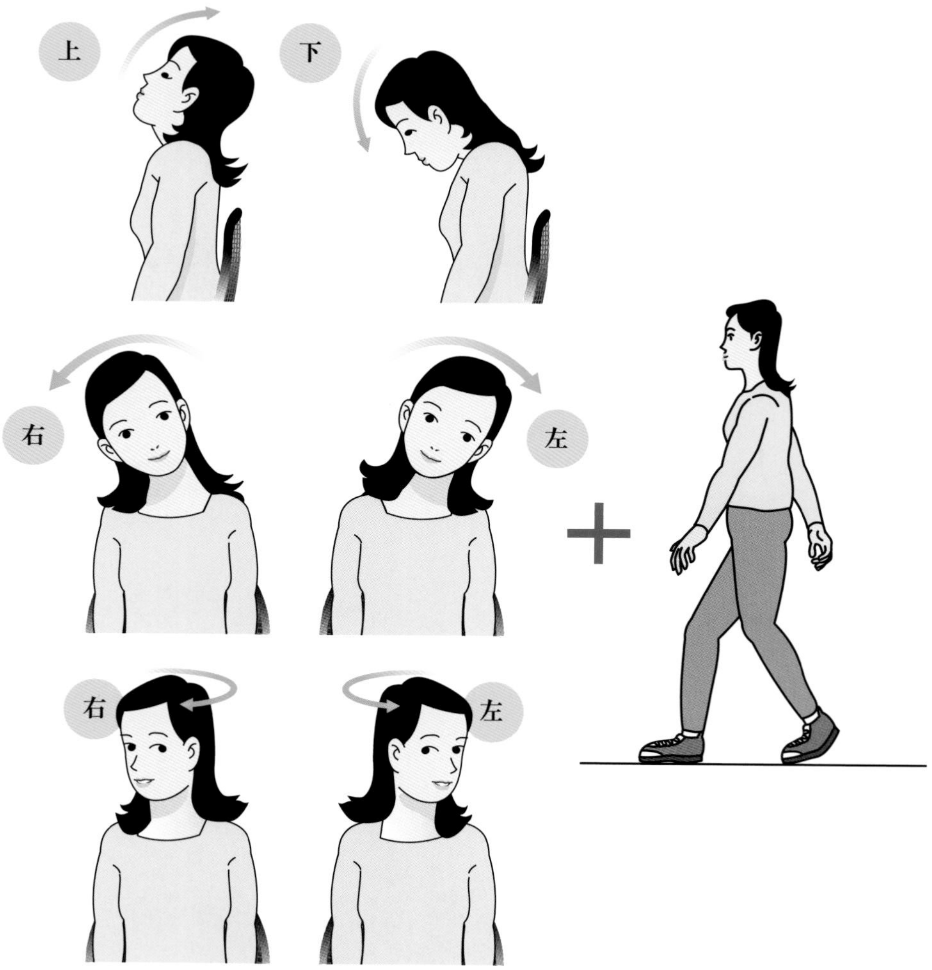

・歩行しながら6番、7番、5番を行う複合の運動です。頭の動きは6番、7番、5番と同じです。
・手は使いません。
・歩行しながら行うのが怖い人は、まずは50歩足踏みをしながらトライしてみてください。

6番 上下＋ Walk Ⓑ Ⓐ

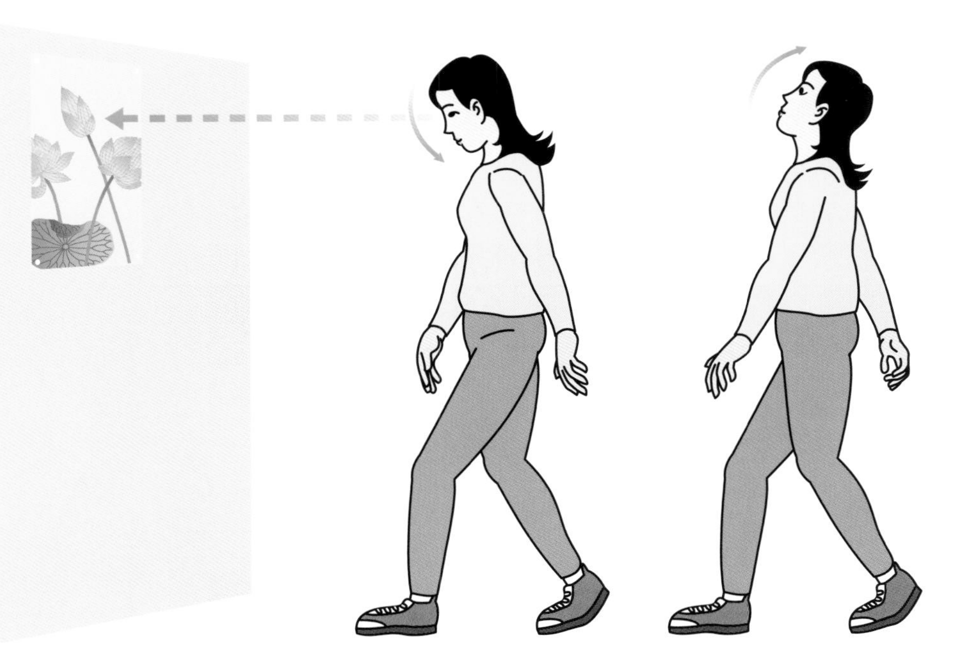

☑ 歩くときに、目線や視線の指標点を前方に設けてください。

☑ ふらついたときに手をつけるように、狭い廊下で行ってください。

JCOPY 498-06286

7番 はてな＋ Walk Ⓑ Ⓐ

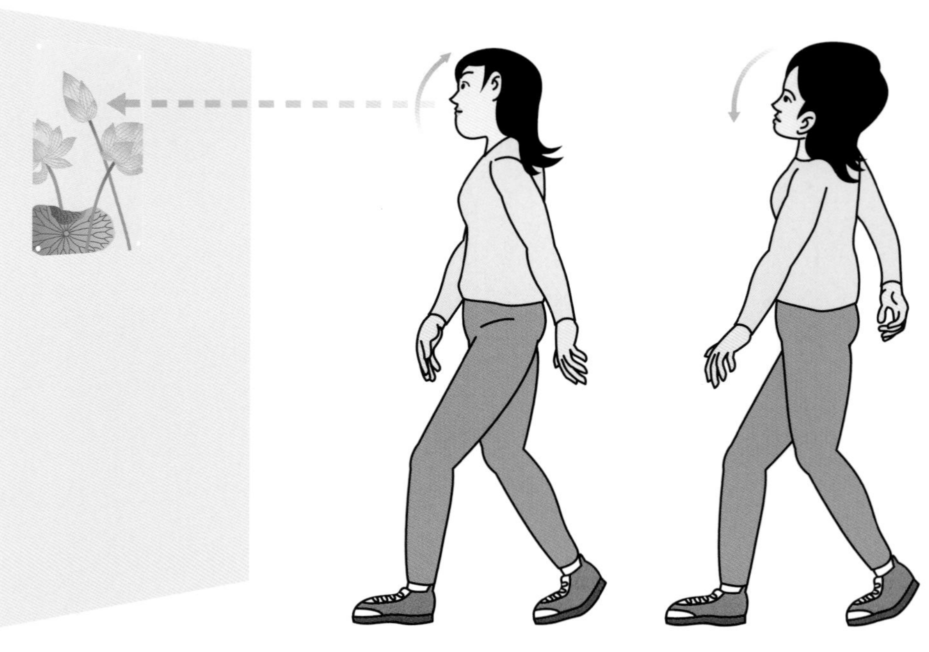

☑ 歩くときに、目線や視線の指標点を前方に設けてください。

☑ ふらついたときに手をつけるように、狭い廊下で行ってください。

5番 ふり返る＋ Walk Ⓐ

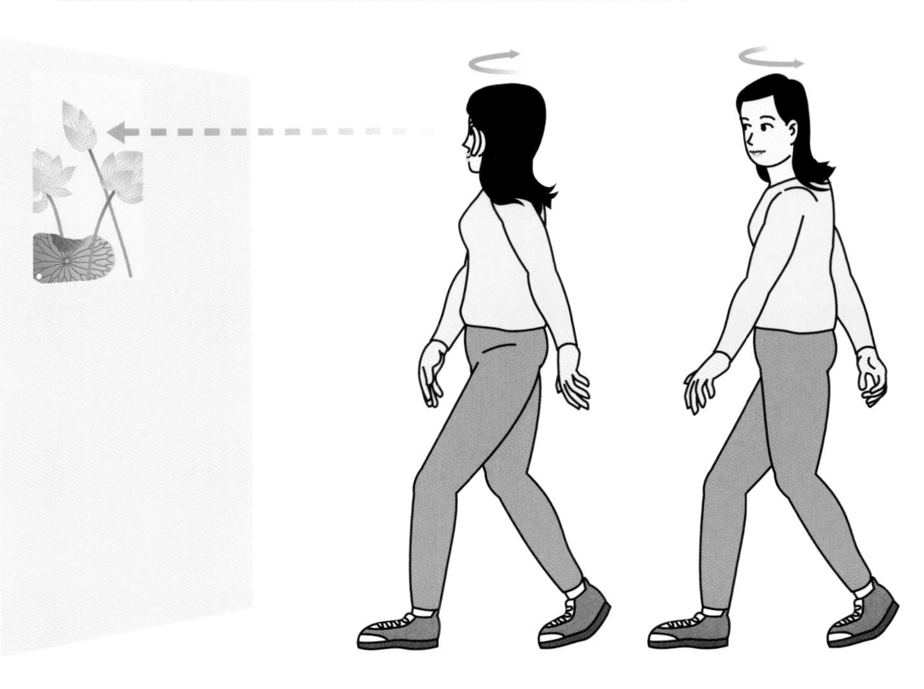

・慣れてきたら、〈1 番 速い横〉も組み合わせて、
左右に視線を変えながら歩いてみましょう。

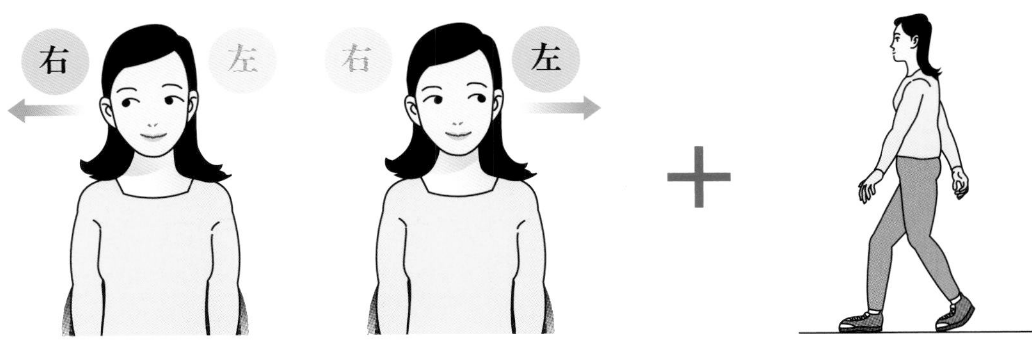

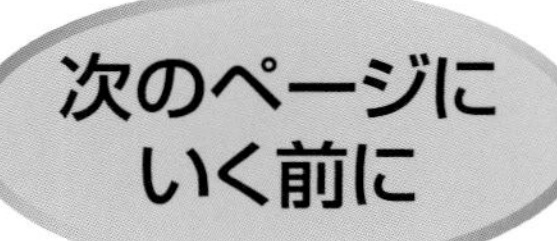

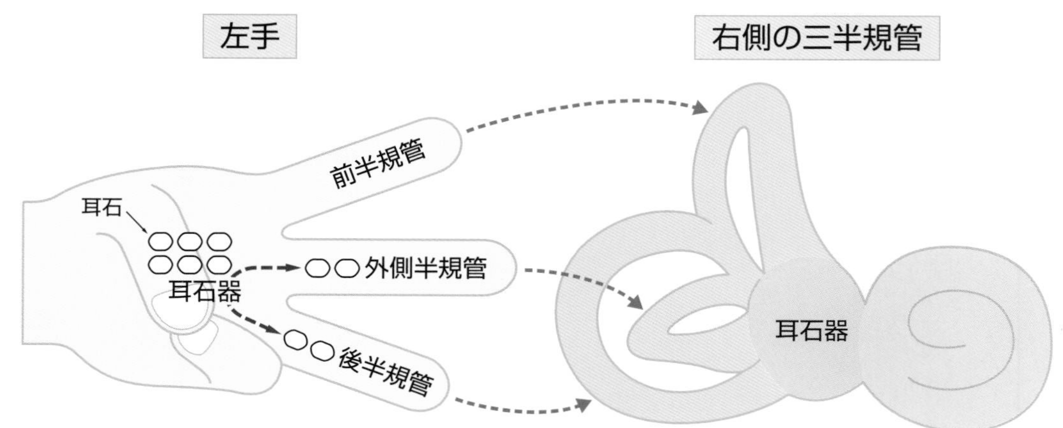

良性発作性頭位めまい症（BPPV）を理解するうえで、
耳石器を手のひらに、三半規管を指に見立ててみましょう。

すると、中指（外側半規管）と薬指（後半規管）に
耳石が入りやすいことがわかりますよね。

次のページからは、
それぞれの場所に入った場合のリハビリをお教えします。

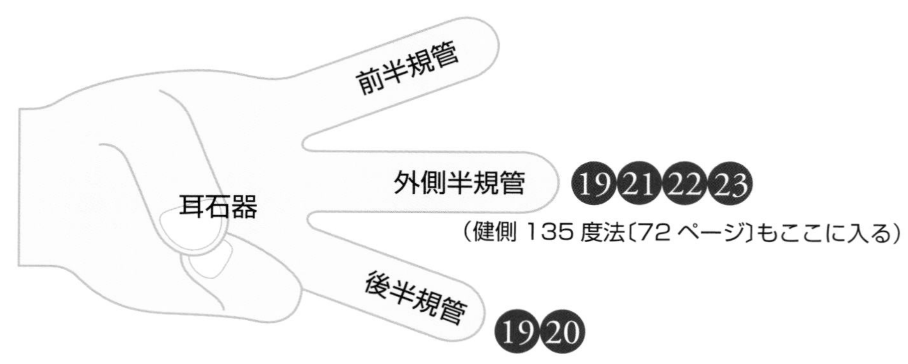

レッスン5

ベッド上（良性発作性頭位めまい症）のレッスン

19番 寝起き・寝返り Ⓓ

20番 自分で行うイプリ法 Ⓔ

21番 グフォーニ法 Ⓔ

22番 逆グフォーニ法 Ⓔ

23番 ヘッドチルトホッピング Ⓔ

＊めまいリハビリ継続のための5箇条　その❹＊

めまいの経過は3歩進んで2歩下がることが普通！
後退してもへこたれるな！（水前寺清子さんの唄のように）

19番 寝起き・寝返り D

こんな方に効く!

寝返りが恐くてできない。

寝起き

※肩枕はなくてもOK。
※応用編では肩枕を用意して
頭を下げてみましょう。

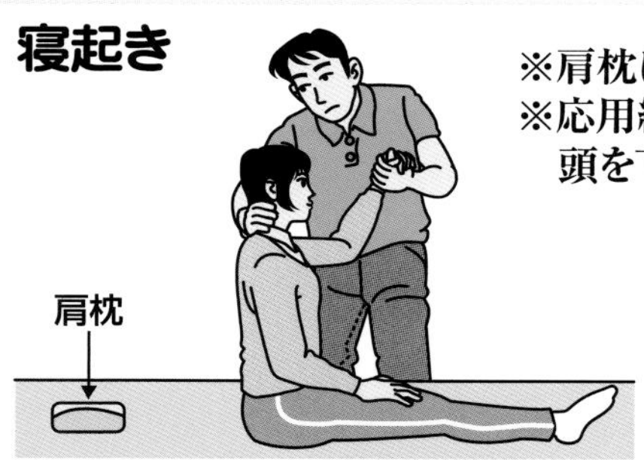

① 介護者は、めまい患者さんの首と手をしっかり持ちます。

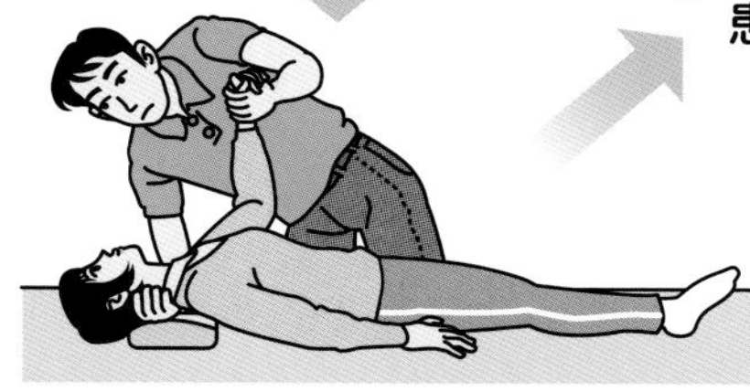

② 腹筋運動ではなく、スピード感をもって起き上がるようにします。

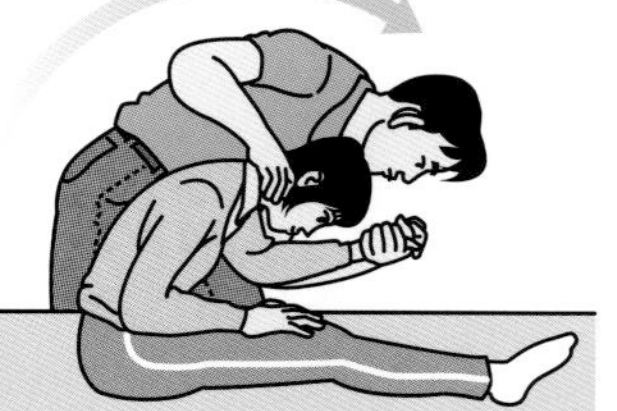

③ 介護者は遠心力を使い、患者さんを起こします。

寝返り

**ポーズを変えるごとに
とってもゆっくり10数える**

左
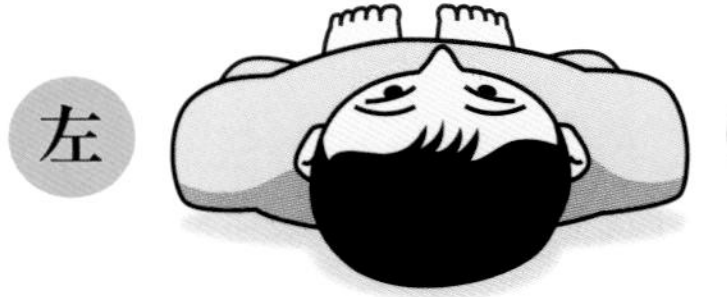
右

基本の姿勢（仰向け）

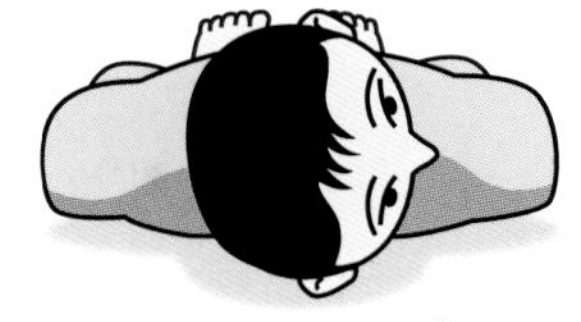

❶ 顔だけを右に向ける

❷ からだを右に向ける

左
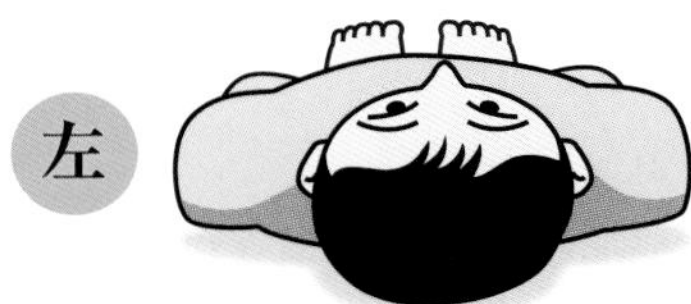
右

❸ 基本の姿勢（仰向け）に戻る

❹ 顔だけを左に向ける

❺ からだを左に向ける

左
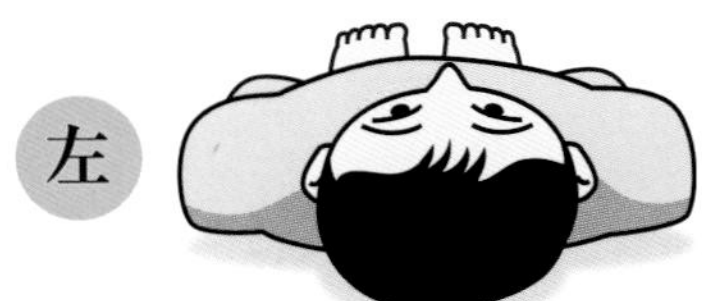
右

❻ 基本の姿勢（仰向け）に戻る

※ ❶～❻の動作を1回3セット、1日3回行う。
※ 10秒数えてから、次の動作に。（10秒間ですよ！早口はダメ）
※ 寝返りをうつのは怖いですよね。
でも治すためには、やらなければいけません。
※ 枕は必要ありませんが、首が悪い方は使用してもOKです。

［コーヒーブレイク］

Coffee ＊ Break

ひざに頭をつけるリハビリ

1 正面 2回

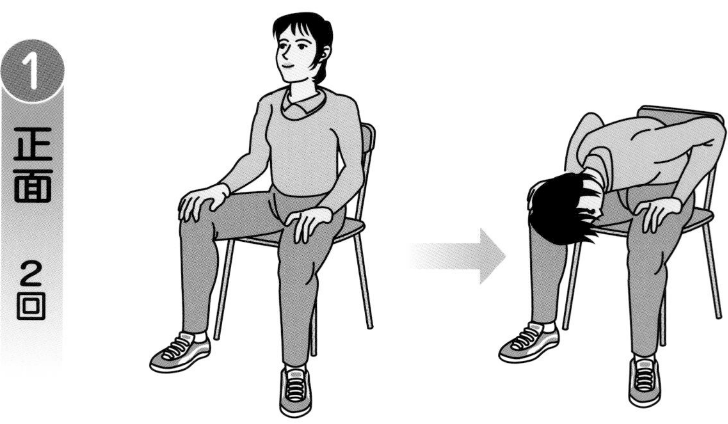

ポイント ゆっくり頭を下げて、ゆっくり元に戻します。
慣れてきたら、速くやってみましょう。

2 左右 2回ずつ

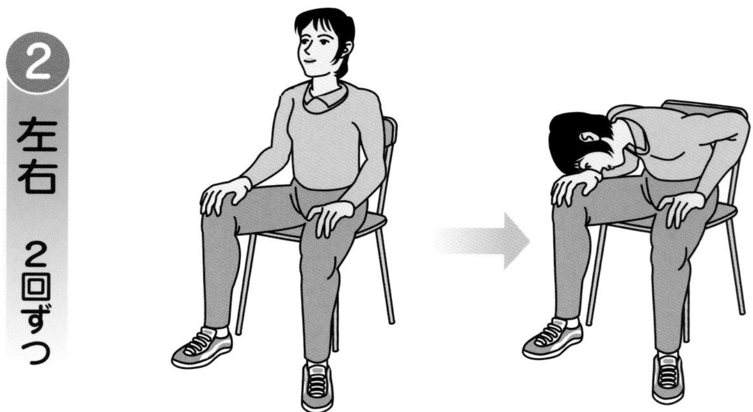

ポイント ゆっくり頭を下げて、右耳を右ひざにつけてみましょう。
ゆっくり頭を下げて、左耳を左ひざにつけてみましょう。
元に戻すときも、ゆっくり頭を上げましょう。
慣れてきたら、少し速くやってみましょう。

おじぎができない人やシャンプーをするときに下を向けない人が、このリハビリをすると、めまい感が減りますよ。

JCOPY 498-06286

Coffee＊Break

前庭（めまい）リハビリの有効性

国内外のさまざまな研究で、前庭（めまい）リハビリの有効性が証明されています。

①慢性期一側前庭障害患者の自覚的なめまいスコアを改善させる「中程度ないし高程度」のエビデンスがあり、安全で効果的である。

- McDonnell MN, Hillier SL. Vestibular rehabilitation for unilateral peripheral vestibular dysfunction. Cochrane Database Syst Rev. 2015; 1: CD005397.

② BPPV（良性発作性頭位めまい症）では、耳石置換法後の歩行不安定改善、患者教育の推奨目的なら前庭リハビリを併用してもよい。

- 米国耳鼻咽喉科・頭頸部外科学会（AAO-HNS). 2017.

③ PPPD（持続性知覚性姿勢誘発めまい）の治療は前庭リハビリ＋認知行動療法＋抗うつ薬が有効である。

- 堀井　新. めまいの診断と治療（再訂正). 日本耳鼻咽喉科学会会報. 2018; 121: 227-33.
- 堀井　新. めまい疾患の新診断基準について. Equilibrium Res. 2018; 77: 378.

④前庭性片頭痛には前庭リハビリ有効例も認める。

- Vitkovic J, Winoto A, Rance G, Dowell R, Paine M. Vestibular rehabilitation outcomes in patients with and without vestibular migraine. J Neurol. 2013; 260: 3039-48.

20番 自分で行うイプリ法 Ⓔ

病院で、良性発作性頭位めまい症（後半規管型：寝起き型）と診断がつき、医師から許可が出た方が行ってください。

こんな方に効く！

横になるときに“グルグル・フワ～ン”とする。

具体例

❗ 夜床につくときや、枕に頭がつくときにめまいがする！

JCOPY 498-06286

右耳が悪い場合

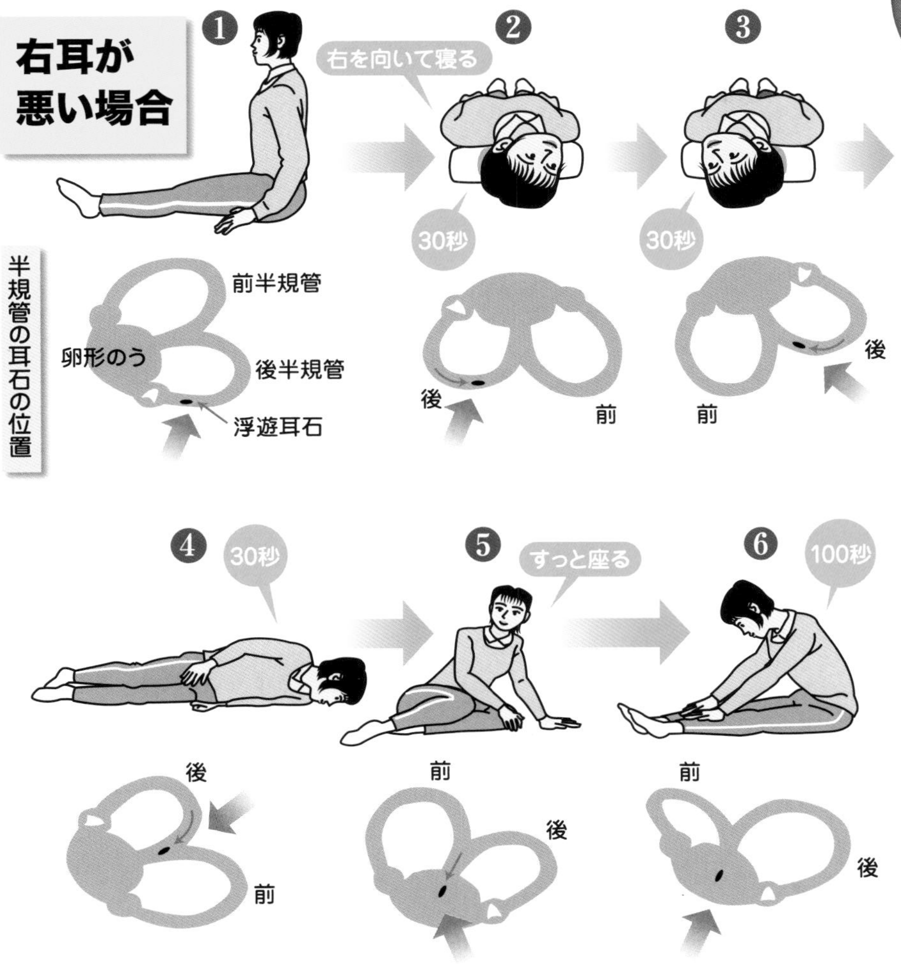

❶ ベッドに座る。
❷ 右を向いて寝る。その姿勢で30秒数える。
❸ 20秒数えながらゆっくり左を向く。そこで30秒数える。
❹ 身体全体で左側に寝返りをうつ。さらに顔を下に向け、30秒数える。
❺ ❹の姿勢のまま起き上がり、❶の姿勢に戻る。
❻ ベッドに座る姿勢でさらに顔を下に向けたまま、ゆっくり100秒数える。

実践のポイント

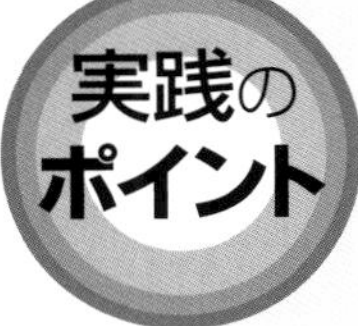

☑ 首や腰が悪い方は注意して行いましょう。
☑ 1日1回寝る前に、最低4日間行うことをおすすめします。

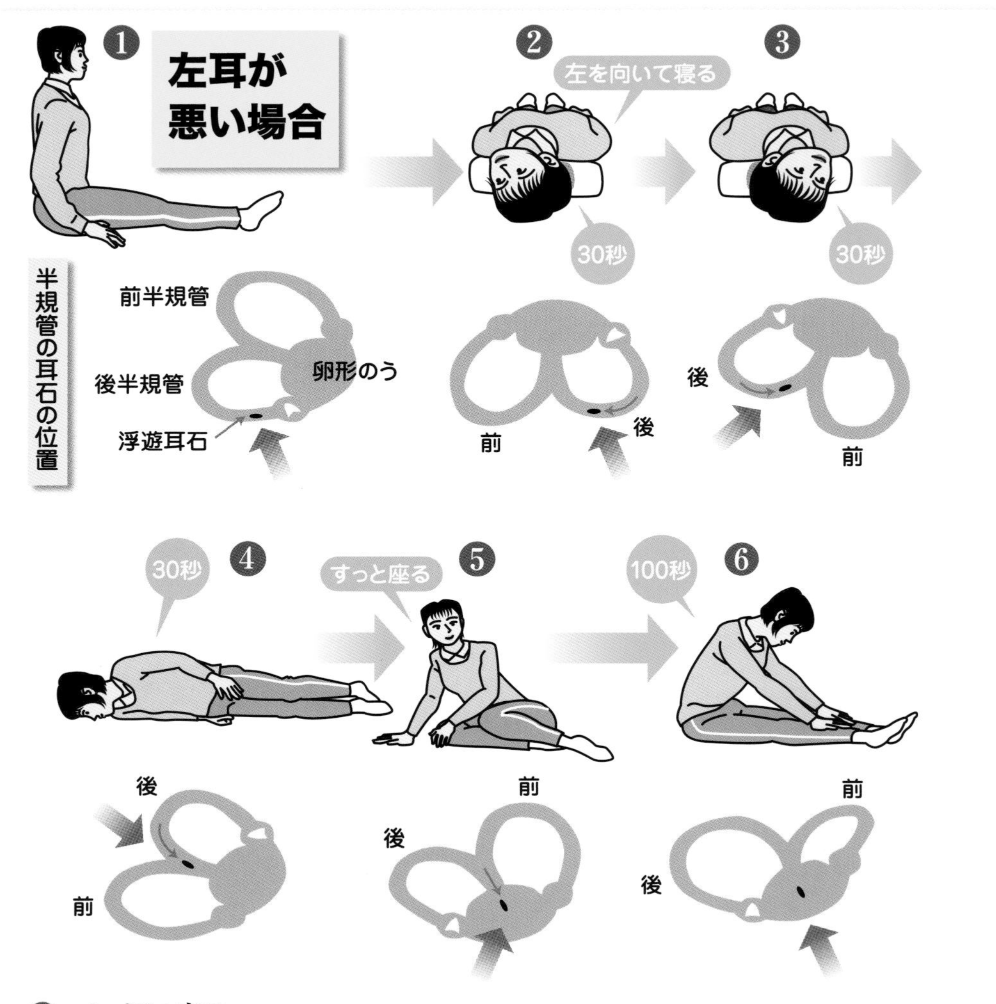

❶ ベッドに座る。
❷ 左を向いて寝る。その姿勢で30秒数える。
❸ 20秒数えながらゆっくり右を向く。そこで30秒数える。
❹ 身体全体で右側に寝返りをうつ。さらに顔を下に向け、30秒数える。
❺ ❹の姿勢のまま起き上がり、❶の姿勢に戻る。
❻ ベッドに座る姿勢でさらに顔を下に向けたまま、ゆっくり100秒数える。

※右も左もまくらなしのバージョンは、外側半規管結石症に効く健側135度法として活用できます。

グフォーニ法 Ⓔ

21番

病院で、良性発作性頭位めまい症（外側半規管結石症）と診断がつき、医師から許可が出た方が行ってください。

寝返りをうつときに“グラッ”とする。

- ☑ 首や腰が悪い方にはおすすめできません。
- ☑ 間をあけて1日2回行ってください。特に朝と夜寝る前におすすめします。
- ☑ 悪い耳がわからない場合には19番の寝起き・寝返りで充分です。

右グフォーニ法（左耳が悪い場合）

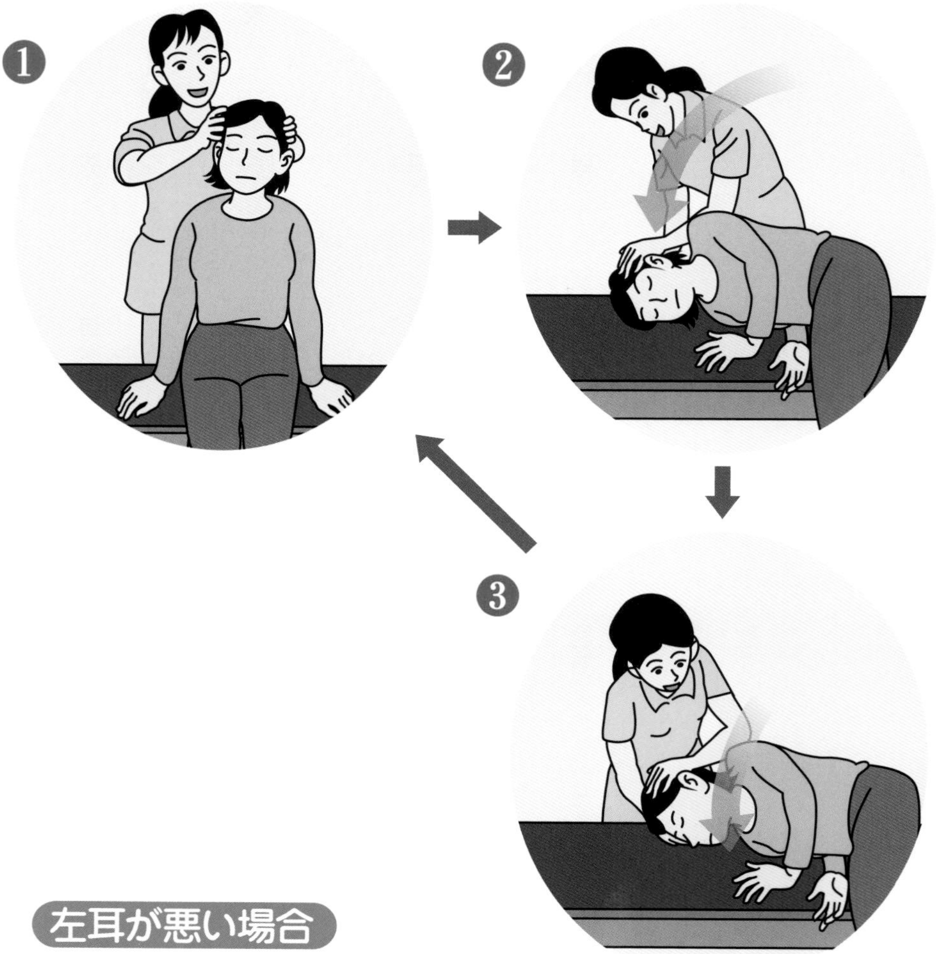

❶

❷

❸

左耳が悪い場合

❶ 正面を向いて座る。
❷ 右側に倒れ、そのまま2分間待つ。
❸ 首を回して45度下を向き　そのまま2分間待つ。
その後、起き上がって❶に戻る。

左グフォーニ法（右耳が悪い場合）

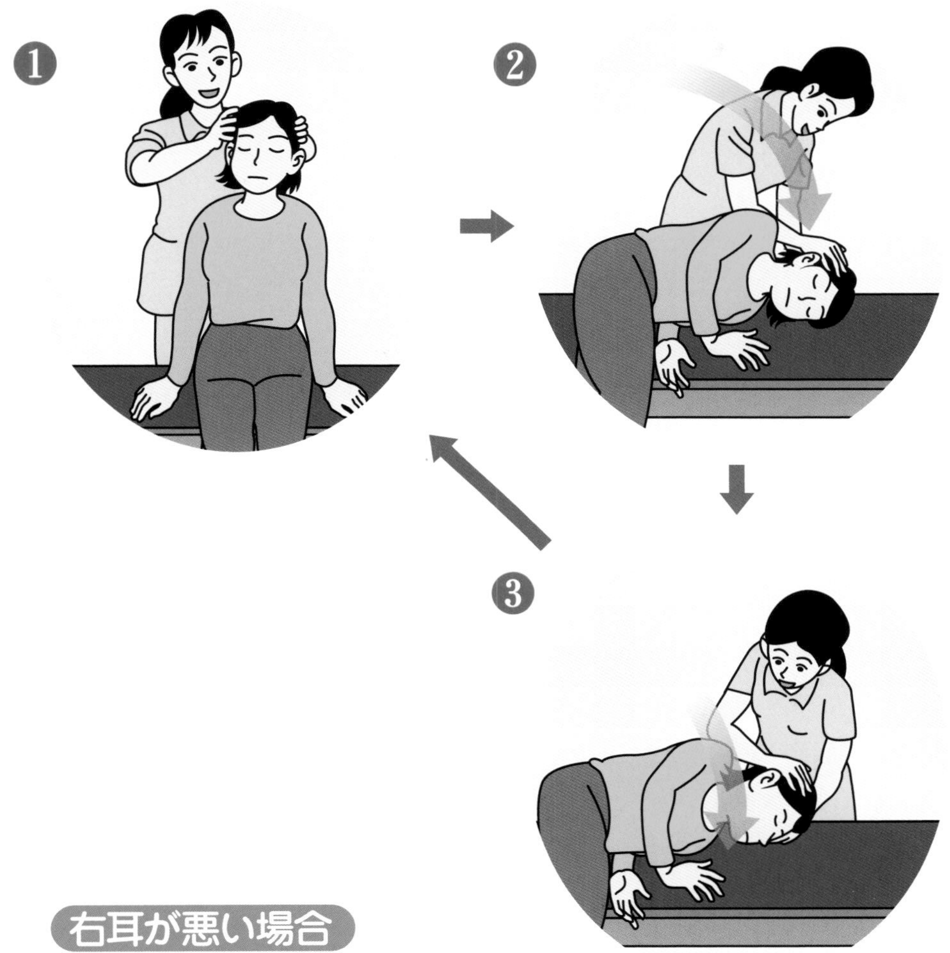

右耳が悪い場合

❶ 正面を向いて座る。
❷ 左側に倒れ、そのまま2分間待つ。
❸ 首を回して45度下を向き、そのまま2分間待つ。
その後、起き上がって❶に戻る。

※グフォーニ法 1 回で 48.4%、2 回以内で 60.9%の患者の症状が改善したとする報告があります（Kim JS, Oh SY, Lee SH, et al. Randomized clinical trial for geotropic horizontal canal benign paroxysmal positional vertigo. Neurology. 2012; 79: 700-7)。

22番 逆グフォーニ法 Ⓔ

こんな方に効く！

外側半規管型 BPPV（良性発作性頭位めまい症）のクプラ型に。

□ 耳石を半規管に落とし、耳石器に戻すための前段階。

- 良性発作性頭位めまい症と診断がついたにもかかわらず、頻回にめまいをくり返し、なかなか治らない。
- 首のスジが痛くても、しっかりと天井を向いてください。

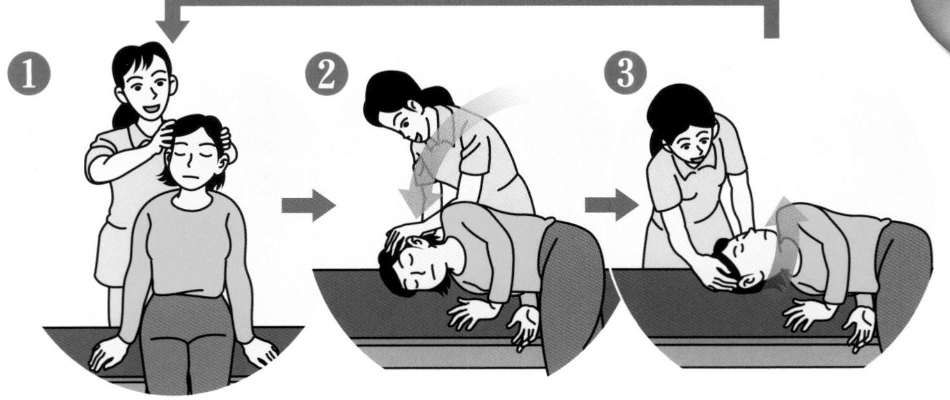

右耳が悪い場合

❶ 正面を向いて座る。
❷ 右側に倒れ、そのまま2分間待つ。
❸ 首を回して45度上を向き、そのまま2分間待つ。
その後、起き上がって❶に戻る。

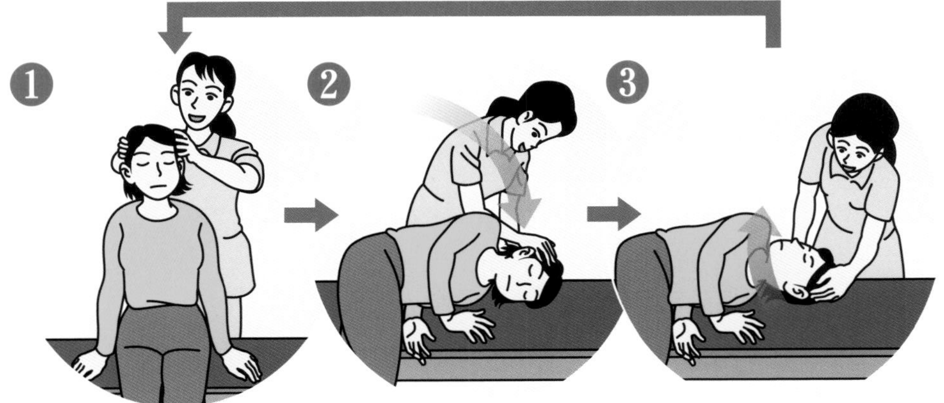

左耳が悪い場合

❶ 正面を向いて座る。
❷ 左側に倒れ、そのまま2分間待つ。
❸ 首を回して45度上を向き、そのまま2分間待つ。
その後、起き上がって❶に戻る。

23番 ヘッドチルトホッピング Ⓔ

[Yamanaka hopping(山中ホッピング)法]

こんな方に 効く!

外側半規管型 BPPV (良性発作性頭位めまい症)のクプラ型に。

□ 耳石を半規管に落とし、耳石器に戻すための前段階。

- ☑ 右・左どちらかに頭を傾け(チルト)、傾けた側の足で片足ホッピング(ジャンプ)。
- ☑ プールで耳に水が入ったときのイメージです。
- ☑ 右・左どちらの耳が悪い場合でも、両側を行います。
- ☑ なるべく壁などに手をついて行いましょう。

❗プールでの耳の水ぬきの要領で10回ホッピングをしましょう。でも、65歳を過ぎると多くの女性は跳べないので…

膝が悪い方用

❗膝が悪い方、人工膝関節手術後の方は、ジャンプの代わりに、坐って頭だけを振って、側頭部を手根部（手のひらの手首に近い部分）に打ち当て、耳の中の水抜きをするイメージで行ってください。（反対側も行いましょう。）

※ヘッドチルトホッピング（山中ホッピング法）は、
近畿大学病院耳鼻咽喉・頭頸部外科特命教授・山中敏彰先生が考案されました。

2024-2025 Best Doctors に選ばれました

めまい分野での診療と治療を評価され、
《2020-2021》《2022-2023》《2024-2025》
の 3 期連続で選ばれました。

＜Best Doctors とは＞

ベストドクターズ社…病に苦しむ方々が最良の医療を受ける手助けがしたいという強い思いのもと 1989 年にハーバード大学医学部所属の医師 2 名によって創業された機関。米国マサチューセッツ州ボストンに本社を置き、現在 70 カ国で 3,000 万人以上の方々にサービスを提供している。

第3章

あなたに必要なめまい知識

＊めまいリハビリ継続のための5箇条　その❺＊

めまい治療は身体も大事、心も大事!
（めまいが治らずに不安が大きくなり、うつっぽくなるのを防ごう！）

めまいを治す前向きな考え方（認知療法）

皆さんは「治らない」「辛い」とよくおっしゃいますが、その考えでは治りません。

つまり、しぶしぶリハビリをするのではなく、「治したい！」「めまいに負けない！」と前向きの言葉と考えをもってリハビリをする必要があるのです。それが「認知療法」です。

わたしは
めまいに負けない！
わたしは
めまいを治す！

認知療法の７つのステップ

① あなたが困っていることをはっきりしましょう。

⇒常にふらつくのですね。

② どういう場面でその問題がおきますか？

⇒立つとき、歩くときですね。

③ その場面のあなたの感情と心のつぶやきは？

⇒「怖い、不安、辛い」ですね。

④ その心のつぶやきは感情や行動にどう影響していますか？

⇒怖いから安静、自宅で引きこもりですよね。

⑤ ではその心のつぶやきは適切ですか、あなたの役に立っていますか？

⇒もちろん NO！ですね。

⑥ そこで、同じ場面でちがう心のつぶやきはできないでしょうか？

⇒そう、治したい！

⑦ 前向きな心のつぶやきを口に出す実践をしましょう。

思考をチェンジして前向きになる「魔法の言葉」を言う

一日１個の小さな幸せ日記

- リハビリを続けていく上で、こころを元気に、前向きに保つことはとても大切です。
- 一日１個でよいですから、リハビリに関わる「プラス」のことを見つけて、書いてみましょう！
- 「受診に付いて来てくれてありがとう」「顔が洗えるようになった」など、どんなことでも OK。何もなかったら、「コンビニの大福がおいしかった」「富士山がきれいだった」でもいいですよ。
- 書けない人は、前向きな言葉を一日１個口にしましょう。

	私の見つけた小さな幸せ
○月　○日	リハビリをする時に、夫が手助けをしてくれた。
月　日	
月　日	
月　日	
月　日	
月　日	
月　日	
月　日	
月　日	
月　日	
月　日	
月　日	
月　日	
月　日	
月　日	
月　日	
月　日	
月　日	

めまいリハビリと中枢代償

めまいはどうして落ち着くのでしょうか？　点滴が効いたのでしょうか？　それとも、服薬が効いたのでしょうか？　もちろん、これらの薬物効果もありますが、それだけではありません。めまいが軽快していく上で欠かすことができない体のしくみがあるのです。それが「小脳の中枢代償」です。

本書ではこのめまいを軽快させる小脳の中枢代償を有効に促進する“平衡訓練”＝めまいのリハビリ、を紹介してきました。もう、第２章でのレッスンはすっかり覚えましたか？　では、少し理屈も勉強しましょう！

めまいとは片側の三半規管の機能低下により前庭神経核（バランスの神経の核）機能低下を来たすことです。すると、回転性めまいと眼振（眼のゆれ）が出現します。片側の前庭（バランス）障害を認めますと、小脳が働き始め、前庭系（バランス系）の左右差を軽減するように働きます。この機序を小脳の中枢代償と言います。この働きを促すためには、いつまでも安静臥床をしていてはいけません。ここからは、安静臥床ではなく、中枢代償（めまい回復）の機序を促進する平衡訓練が必要なのです。この平衡訓練を、めまいリハビリとも言うのでしたね。めまいリハビリは耳（前庭系）、眼（眼運動系）、足の裏（深部知覚系）の三つを有効に刺激することでこの小脳の中枢代償を促進するのです。

しかし、実際には、めまい、ふらつきがある患者さんにめまいリハビリを勧めても、“ふらついて怖いからできない”とためらってしまうことが多いのです。さらに、この運動が複雑で難しかったり、特別な器具や場所が必要だったりすると実行することは不可能に近いのです。そこで、当院のめまい外来では、「誰でも、どこでも、器具を用いず、お金もかからず」をスローガンに掲げ、リハビリ内容を吟味しました。

めまいは残念ながらその多くが再発します。BPPV は 1 年後に 20％が再発すると言われています。少しでもその再発を減らすために、次のページから、めまいとの付き合い方を学んでいきましょう。

めまいの悪化因子と予防、日常生活の予防点

◆めまいの悪化因子７つ！

①まず**睡眠不足**

②つぎは**風邪**などの体調不良

③寒さや、**低気圧**の接近

④**忙しい行事**（引越し、冠婚葬祭など）への参加後の疲れ

⑤家族の病気、介護などの**ストレス**を抱える

⑥**人ごみ**、デパート、ラッシュ時の交通機関、電車から景色ばかり見る

⑦生理の前後、更年期の時期（**女性ホルモン**の変化）

◆予防のために気をつけるべき点

（1）食事

メニエール病の人は塩分の摂りすぎに注意。水を多く摂取（男性１日２リットル、女性１日1.5リットル）しましょう。「水」が難しいときは「水分」でOK。規則正しい食事をしましょう。有酸素運動もおすすめです。

JCOPY 498-06286

(2) 睡眠

自分にとって必要な睡眠時間をとりましょう。**枕は高め**にしてください。ただし、首が痛くなるようなら、首だけ前屈しないようにしてください。

(3) ストレス

あるのは当たり前。いかにうまく処理するかが大事です。ストレスを抱え込まない。ストレスになる原因を減らし、適度に流す。完璧主義に陥らない。趣味を持って気分転換。ストレスとうまくつきあいましょう。84ページの「一日1個の幸せ日記」で小さな幸せを見つけましょう。

(4) アルコール

たしなむ程度はOK。ただし、アルコールは小脳の機能を抑える傾向があり、ふらつきが強まる場合があります。一方、利尿作用があるため、コップ一杯のビール程度ならメニエール病には有効とも言われています。

(5) タバコ

ニコチンは血管を収縮させ、血の循環を悪くするため、禁煙した方が良いでしょう。

(6) コーヒー

コーヒーの香りは情緒を安定させ、集中力を高める働きがあると言われています。またカフェインは眠気、疲労感をなくし、心臓の働きを強め、利尿作用もあります。ただし、入眠障害を悪化させるおそれがあるので、夜７時以降は避けてください。

(7) 運動

無理せず、競争心を持たずに自分のペースで行いましょう。ゴルフ・テニス・ウォーキングなど、気分転換につながるのならすべてOK。ただし、ダイビング、特にスキューバダイビングは、めまいがして上下がわからなくなり、事故につながることもあります。めまいは圧力の変化に敏感なのでお奨めできません。飛行機の離着陸時にも注意が必要です。

(8) 入浴

長時間はいけません。湯船から立ち上がるときは特に注意してください。

(9) 自動車の運転

調子の悪いときに運転すると事故につながります。運転をする前にリハビリ５番と６番を行い、続けて11番(50歩足踏み）を行ってください。90度以上曲ったときは運転しないでください。

(10）外出

人ごみ、デパート、ラッシュの交通機関、電車の景色は要注意。

(11）家事

台所仕事や掃除は下向きの姿勢になりますし、布団の上げ下ろしは上向き、下向きの姿勢をとることになり、めまいを誘発しやすいのです。ですから、坐位のレッスン（リハビリ５番〜７番）は必須なのです。

(12）めまいリハビリの継続

みなさん基本的に大変真面目にリハビリをしてくださるのですが、少したつとやめてしまう方を多く見受けます。リハビリをサボっていると、早い方は１週間、遅くとも半年ぐらいでめまいが再発します。継続は力なり！です。

めまいの発作が起きたときには？（めまいの前兆）

万一、めまいの発作が起きたときには、冷静な対応が自分を救います。まず、めまい発作の前兆があるときは外出をしないことです。

以下の「めまい発作の前兆」を認めたときには、注意が必要です。

◆めまい発作の前兆

- 耳鳴り・耳の詰まった感じが強い
- 何となくふらつく
- 後頭部が重い
- 肩こりが強い
- 少しむかむかする
- 睡眠不足
- 仕事の残業
- ストレス
- 低気圧
- 台風・寒冷前線

◆めまい発作が起きたら

外出先でめまいが起きたら、周りの人に協力してもらい、安静にできる場所に連れて行ってもらいましょう。当院の近くでしたら、まず外来にお電話ください（横浜市以外の方はかかりつけの病院にお問い合せください）。その後に救急車を呼んで来院してくださってもかまいません。当直の医師が応急処置を施してくれます。『応急処置の点滴をお願いします』と言ってください！

それでも改善しないときは入院して加療します。翌日には、耳鼻科医師があなたの前回の検査、治療を踏まえて加療にあたります。

ご自宅などでめまい発作におそわれたら、周りの方は安静にできる場所で楽な姿勢をとらせてあげましょう。（仰向けの姿勢は、吐き気があるときは危険です。必ず横を向いて、嘔吐物を誤嚥しないようにしましょう。）ラジオ・テレビ・照明などは消して、静かな環境にしてあげましょう。一般に、悪い耳、難聴の耳を上にして寝ると楽ですが、患者さんが楽に感じるようであれば、仰向けでもかまいません。また、目は閉じていた方が楽です。吐き気があるときは水分補給のみとしましょう。

また、薬があれば服用しましょう。

治らなかったら、病院に電話してみましょう。

横浜市立みなと赤十字病院の連絡先

代表電話	045-628-6100
めまい平衡神経科直通	045-628-6873
耳鼻科直通	045-628-6277

受付時間：診療日(月～金)の 8:30 ～ 17:00

当院以外で、めまいリハビリを行っている医療機関のリストを次ページに掲載します。

めまいと骨粗鬆症（転倒、骨折を予防するために）

骨粗鬆症は、骨密度を中心に総合的な評価が行われます。骨密度が最大となる年齢のそれと比較したときに、70％未満であると骨粗鬆症の可能性が大です。

◆骨粗鬆症を予防するために摂取すべき栄養素

- カルシウム：牛乳、小魚、ヨーグルトなど
- ビタミン D：しいたけ、卵、鮭など
- ビタミン K：ブロッコリー、レタス、ほうれん草、納豆など

めまいリハビリを行っている医療機関

施設名（医師名）	所在地・電話番号
山崎耳鼻咽喉科めまいクリニック （金谷健史）	〒060-0011　北海道札幌市中央区北 11 条西 14-1-16 TEL 011-757-3387
いとう耳鼻咽喉科医院 （伊藤順一）	〒069-0852　北海道江別市大麻東町 13 番 17 TEL 011-387-1133
日本赤十字社 旭川赤十字病院 耳鼻咽喉科 （長峯正泰）	〒070-8530　北海道旭川市曙 1 条 1-1-1 TEL 0166-22-8111
ささき耳鼻咽喉科クリニック （佐々木均）	〒038-0022　青森県青森市浪館字泉川 22-7 TEL 017-739-6687
長町南めまい耳鼻咽喉科クリニック （宮﨑浩充）	〒982-0012　宮城県仙台市太白区長町南 4-22-1-1 TEL 022-290-1227
鈴木耳鼻咽喉科 （鈴木榮一）	〒308-0841　茨城県筑西市二木成 1929 TEL 0296-25-4332
目白大学耳科学研究所クリニック （伏木宏彰）	〒339-8501　埼玉県さいたま市岩槻区浮谷 320 TEL 048-797-3341
小林耳鼻咽喉科医院 （小林宏成）	〒154-0023　東京都世田谷区若林 5-14-4 TEL 03-3413-2062
本郷台耳鼻咽喉科 （高橋直一）	〒247-0007　神奈川県横浜市栄区小菅ヶ谷 4-9-1 グランシャリオ本郷台 1F　TEL 045-891-0187
中山耳鼻咽喉科医院 （中山貴子）	〒236-0027　神奈川県横浜市金沢区瀬戸 4-3　2F TEL 045-783-0018
東海大学医学部付属病院 耳鼻咽喉科 （五島史行）	〒259-1193　神奈川県伊勢原市下糟屋 143 TEL 0463-93-1121
北里大学病院 めまいセンター （長沼英明）	〒252-0375　神奈川県相模原市南区北里 1-15-1 TEL 042-778-8111
新潟大学医歯学総合病院 耳鼻咽喉・頭頸部外科 （堀井　新）	〒951-8520　新潟県新潟市中央区旭町通一番町 754 TEL 025-223-6161
奈良県立医科大学 耳鼻咽喉・頭頸部外科学 （北原　糺）	〒634-8522　奈良県橿原市四条町 840 TEL 0744-22-3051
市立吹田市民病院 耳鼻咽喉科 （山戸章行）	〒564-8567　大阪府吹田市岸部新町 5-7 TEL 06-6387-3311
近畿大学病院 耳鼻咽喉・頭頸部外科 （山中敏彰）	〒589-8511　大阪府大阪狭山市大野東 377-2 TEL 072-366-0221
ベルランド総合病院 めまい難聴センター （今井貴夫）	〒599-8247　大阪府堺市中区東山 500-3 TEL 072-234-2001
にいつクリニック 耳鼻咽喉科 （新津純子）	〒719-0302　岡山県浅口郡里庄町新庄 2929-1 TEL 0865-64-3622
鼓ヶ浦こども医療福祉センター 耳鼻咽喉科 （池田卓生）	〒745-0801　山口県周南市久米 752 番地 4 TEL 0834-29-1430
高知医療センター 耳鼻咽喉科 （土井　彰）	〒781-8555　高知県高知市池 2125 番地 1 TEL 088-837-3000
アルカディアクリニック （坂田美子）	〒839-0801　福岡県久留米市宮ノ陣 4-28-10 TEL 0942-33-8877
重野耳鼻咽喉科 めまい・難聴クリニック （重野浩一郎）	〒852-8132　長崎県長崎市扇町 1-21 TEL 095-844-1848
吉田病院 （清水謙祐）	〒889-0511　宮崎県延岡市松原町 4-8850 TEL 0982-37-0126
いわつぼ耳鼻咽喉科・めまいクリニック （岩坪哲治）	〒899-5431　鹿児島県姶良市西餅田 118-2 TEL 0995-66-3387

第 4 章

めまいにおける漢方薬の適応

当院でのめまい治療の主役はめまいリハビリですが、薬物療法もまた活用すべきです。しかし、西洋薬にはかれこれ45年間ほど新薬が出ていません。そんな西洋薬ではなかなか効果を感じられない方は、漢方薬を用いることも検討すべきです。めまい治療において漢方薬は、あの“助さん格さん”のような名わき役だと言えましょう。

しかし、漢方薬を用いるにあたっては「証＝体質・症状」という東洋医学的な要素を考慮することが求められ、漢方を専門としない医療人にはその処方に躊躇することもあります。そこで本章では、当院においてめまい専門医が、現代医学的な“エビデンス（証拠）”の見地から検討した治療結果を踏まえて、めまいリハビリと併用した場合の漢方薬の適応と治療効果について説明します。

JCOPY 498-06286

胃腸虚弱者の慢性めまい（特に高齢者）に半夏白朮天麻湯（はんげびゃくじゅつてんまとう）

半夏白朮天麻湯　１回 2.5g　１日３回　朝昼夕食前投与

その効能・効果には「胃腸虚弱で下肢が冷え、めまい、頭痛などがあるもの」と胃腸虚弱を使用目標とする記載[1)]があり、めまいが保険適応となっています。当院での検証によれば、半夏白朮天麻湯はベタヒスチンメシル酸塩と同様の慢性めまいの自覚症状（DHI[2)]：Dizziness Handicap Inventory と SF-8[3)] により評価）改善結果を示し、さらに他覚的検査である重心動揺検査閉眼総軌跡長[1)]の改善も認めました。特にその効果は65歳以上の患者さんで顕著でした[1)]。また、胃腸虚弱の見られる患者さんの場合、消化器症状の改善度が高いほど、めまいに対しても高い治療結果が示されました[4)]。その他頭痛にも適応があり、手足の冷えも改善を認めます。

食欲不振を改善、怒りを軽減し、活気を改善する　補中益気湯（ほちゅうえっきとう）

補中益気湯　1回2.5g　1日3回　朝昼夕食前投与

慢性めまいの患者さんでは、精神的苦痛や葛藤のため日常生活のQOL（Quality of Life：生活の質）が低下するため、このような苦痛への対応はめまい治療における重要な指針の一つです。患者さんの情緒不安定度を診るためのPOMS[5)]（Profile of Mood States Brief Japanese Version）短縮版という質問紙票を用いた研究によれば、慢性めまい患者さんでは、めまいが続くことで「怒り」の上昇と「活気」の低下が認められ、めまいリハビリ治療のみではQOL改善が不十分なことが明らかになっています[6)]。そこで、リハビリに補中益気湯（食欲不振が保険適応）を併用すると、「怒り」が下降し「活気」が上昇する改善効果を認めました。その他不安にも効果を認めます。私はかつて漢方を古くさく、いかがわしい薬と思っていましたが、その効果を実感することになりました。

不眠症を改善、特に入眠障害と怒りを改善する　抑肝散加陳皮半夏（よくかんさんかちんぴはんげ）

抑肝散加陳皮半夏　１回 2.5g　１日３回　朝昼夕食前投与

めまい患者さんには不安とともに不眠を多く認めます。従来の睡眠薬のみでは睡眠の質に満足できず、かつ服用中の薬に上乗せして投与することの同意を得た 30 例のめまい治療中の患者さんに、抑肝散加陳皮半夏を投与しました。投与開始１か月後のピッツバーグ睡眠質問票[7)]の総合点数でははっきりとした不眠の改善は見られませんでしたが、入眠障害には改善を認めました[8)]。さらに、情緒不安定検査（POMS）でも「不安」「怒り」に対し改善を認めました。約 50％の患者さんに対して有効で、その背景は壮年期（60 歳未満）でした。現在ベンゾジアゼピン系の抗不安薬を睡眠薬として漫然と用いている患者さんが多く見られます。これではふらつきをさらに悪化させ、さらに依存性もあります。抑肝散加陳皮半夏は、従来の眠剤から切り替えるときなどに役立ちます。

食欲不振を改善し、最近ではフレイル治療薬として用いる傾向がある　人参養栄湯（にんじんようえいとう）

人参養栄湯　1回2.5g　1日3回　朝昼夕食前投与

高齢者の平衡機能の低下には、前庭小脳を含めた中枢神経の加齢変化に加え、骨・関節・筋肉・神経の衰えなど全身の体平衡機能低下が関係します[9)]。そのため高齢者が歩行や立位の平衡機能の健康を維持するためには、内耳機能を鍛えるめまいリハビリだけでは不十分です。高齢者の平衡障害には、立つ・歩くなどの動作が困難となる運動器症候群（ロコモティブシンドローム[9)]）が合併しており、加齢性の筋萎縮と筋力低下（サルコペニア[10)]）が歩行速度の低下を生じさせます[9)]。

最近ではサルコペニアを中核症状にもつフレイルという概念[10)]が注目されています。これは、要介護の手前の虚弱状態を表す症候群で、①体重減少、②自覚的疲労感、③活動性低下、④歩行速度の低下、⑤筋力（握力）の低下の５症状のうち３症状以上を有する場合にフレイルと診断[11)]されます。最近の研究[12)]からフレイルは可逆性の病態であり、その治療として運動と栄養の併用療法の効果が期待されています[13]。

このフレイルやサルコペニアに効果が期待されているのが人参養栄湯です[14-17]。食欲不振、疲労倦怠感、病後の体力低下などへの効能・効果を有し、フレイル治療の第一選択薬[17]です。また、人参養栄湯には、筋肉量や筋質の改善[15]、骨格筋率の改善[16]などの作用のある生薬が配合されていると報告されています。重力に負けない筋力と平衡機能を維持するためには、ロコモ体操やフレイル予防の筋力増強と骨量維持、転倒予防の概念を包括したレジスタンス運動が必要[9]で、その併用薬として人参養栄湯が注目されています。精神的フレイル症状への介入効果として、人参養栄湯の構成生薬である、遠志[18]、白朮の抗うつ作用[19]で精神症状の改善を認めた報告も多数あるので、高齢者の精神的フレイルにも有用と考えられます。

参考文献

1) 新井基洋．入院集団リハビリテーションと漢方製剤の併用療法―半夏白朮天麻湯の有用性に関する検討（第一報）．漢方と最新治療．2015; 24: 233-40.
2) 増田圭奈子，他．めまいの問診表（和訳 Dizziness Handicap Inventory）の有用性の検討．Equilibrium Res. 2004; 63: 555-63.
3) 福原俊一，他．健康関連 QOL 尺度 SF-8 と SF-36．医学のあゆみ．2005; 21: 133-6.
4) 新井基洋．めまいリハビリテーションと漢方製剤の併用療法―半夏白朮天麻湯の消化器症状に関する検討（第二報）．医学と薬学．2016; 73: 171-80.
5) 室伏利久，他．めまい症例における心理状態の検討―POMS を用いて．Equilibrium Res．2006; 65: 30-4.
6) 新井基洋，他．めまい集団リハビリテーションと補中益気湯併用療法．心身医学．2011; 52: 221-8.
7) Buysse D, et al. The Pittsburgh Sleep Quality Index : a new instrument for psychiatric practice and research. Psychiatry Res. 1989; 28: 193-213.
8) 新井基洋．めまいリハビリテーションと漢方製剤の併用療法―抑肝散加陳皮半夏の不眠症状に対する効果（第六報）．漢方と最新治療．2017; 27: 73-8.
9) 新井基洋．総説「第 118 回日本耳鼻咽喉科学会総会ランチョンセミナー」めまいリハビリテーションと漢方薬の選択について．日耳鼻．2017; 120: 1401-9.
10) 葛谷雅文．老年医学における Sarcopenia & Frailty の重要性．日老医誌．2009; 46: 279-85.
11) 徳増厚二．めまいのリハビリテーション．JOHNS. 2001; 17: 825-9.
12) 田中友規．多面的なフレイルの転帰と可逆性改変から．In：荒井秀典，編．フレイルのみかた．東京: 中外医学社; 2018．p.26.
13) 大黒正志．栄養によりフレイルを治す．In：荒井秀典，編．フレイルのみかた．東京: 中外医学社; 2018．p.120-6.
14) Ohsawa M, et al. Effect of ninjin'yoeito on the loss of skeletal muscle function in cancer-bearing mice. Front Pharmacol. 2018; 9: 1400.
15) Sakisaka N, et al. A clinical study of ninjin'yoeito with regard to frailty. Front Nutr. 2018; 5: 73.
16) 青山重雄．骨格筋率低下を伴う体力低下に対する人参養栄湯の効果．phil 漢方．2018; 70: 12-4.
17) 新見正則．高齢者向け頻用漢方薬．In：荒井秀典，編．フレイルのみかた．東京: 中外医学社; 2018．p.137.
18) Hu Y, Liu M, Liu P, et al. Possible mechanism of the antidepressant effect of 3,6'-disinapoyl sucrose from Polygala tenuifolia Willd. J Pharm Pharmacol. 2011; 63: 869-74.
19) 小林義典，Indra DB．白朮精油の抗うつ作用．Aroma Research. 2005; 6: 356-61.

めまいの薬物療法

●抗めまい薬

アデノシン三リン酸二ナトリウム（アデホスコーワ®）

イソソルビド（イソバイド®）メニエール病治療薬

ジフェニドール塩酸塩（セファドール®）

ベタヒスチンメシル酸塩（メリスロン®）、他

●めまい適応のある漢方薬

半夏白朮天麻湯：高齢者。胃腸虚弱を伴うもの (97 ページ参照)

苓桂朮甘湯：若い女性。起立性調節障害、動悸・のぼせを伴うもの

五苓散：若年から中年女性。頭痛、嘔気、浮腫を伴うもの

●肩関節周囲炎の外用消炎鎮痛薬

ロキソプロフェン Na テープ 50mg、100mg「ユートク」

ジクロフェナクナトリウムテープ 15mg、30mg「ユートク」

あとがき

本書は、めまい患者の高齢者に向けて、字と絵を大きくして見やすい、読みやすい本作りを心がけたこともあり、令和4年で第7版を迎えることになった。一般の方が読むと、「めまいは寝ている」が常識だから反発があるかもしれないが、正しい方向性のための事実と結果をあえて記載させていただいた。耳鼻科医の中でめまいを専門とする医師は決して多くないが、めまい患者さんはかなり多く、どこの科にかかってよいのかわからず、路頭に迷っている。患者さんはもとより、これから耳鼻科医を目指してくれる医師や若い医師、そして理学療法士の方々にもぜひ読んでいただき、立派な“患者さんと向き合える医療スタッフ”を目指していただきたい。

めまいで苦しむ仲間で助け合い、理解し合うことをスローガンに、患者さんにリハビリを習得してもらい、めまいを克服してきたが、コロナ禍によって集団でのリハビリが難しくなった。自宅にて個人でリハビリを施行していただく教育にシフトしつつあるので、そのような時代に、ぜひ本書を活用してほしい。

みなと赤十字病院に奉職して約26年が過ぎた。赴任当初、80歳の患者さんはまれであったが、令和を迎えた今、80歳の患者さんは普通になり、90歳、100歳といった方もみえるようになった。そのため最近では、単に耳のめまい治療では問題を解決できず、高齢者の平衡障害の特徴である全身の機能低下にも働き掛ける必要がある。そこで、目や足の裏を刺激する代用訓練、筋力の維持・回復を目的とした訓練を加味することを心がけており、それらの内容も盛り込むように努めた。

なお、このたびの第7版では、第6版同様、開きやすい造本を採用し、リハビリのレッスンごとに“つめ”を付けて、本書を用いてリハビリに取り組もうとする読者のための工夫を凝らした。また、実情に合わせていくつかのリハビリを新しいものに差し替え、加齢によるふらつきに関する記述を追加するなど、全体を通じたリヴァイズを行っている。特に、アメリカにおけるめまいの標準治療であるめまいリハビリを、そのカテゴリーA〜Eの5つに分類し、1〜23番のリハビリがどれに該当するかを明記した。2021年12月には日本めまい平衡医学会によりめまいリハビリの基準が30年ぶりに改訂され、保険収載に向けて動いているところである。患者さんがめまいリハビリを知る絶好の機会といえるだろう。加えて、めまい治療の名わき役たる漢方治療についても、当院における多数症例の研究結果を要約して説明した。

この本は、病院職員、元病院職員、そして何よりも多くのめまい患者さん一人一人のご協力があってこそ生まれたものである。大きな感謝を申し上げて、むすびとしたい。

2022年7月　新井基洋

著者略歴

新井基洋（あらい もとひろ）　1964年4月22日生まれ　横浜市青葉区在住

1983年　北里大学医学部入学
1989年　北里大学医学部卒業　医師免許取得　北里大学耳鼻咽喉科入局
1990年　国立相模原病院耳鼻咽喉科
1991年　北里大学耳鼻咽喉科
1994年　耳鼻咽喉科専門医取得
1995年　健常人 OKAN（めまい研究）で医学博士号取得
　　　　米国ニューヨークマウントサイナイ病院神経生理学短期留学
1996年　横浜赤十字病院赴任
2000年　同病院耳鼻咽喉科副部長　めまい平衡医学会専門会員、評議員
2004年　同病院耳鼻咽喉科部長
2005年　横浜市立みなと赤十字病院耳鼻いんこう科部長
2013年　めまい平衡医学会代議員
2016年～　横浜市立みなと赤十字病院めまい平衡神経科部長
2021年　国際めまい学会（国際バラニー学会）会員

著書：『前庭（めまい）リハビリ実践バイブル 第2版』（中外医学社）
『今まで誰も教えてくれなかった 新井式前庭リハビリのエッセンス』
（中外医学社）ほか

めまいは寝てては治らない
実践！めまい・ふらつきを治す23のリハビリⓒ

発　行	2010年 2 月 1 日	初版 1 刷
	2010年 2 月 10 日	初版 2 刷
	2010年 3 月 20 日	初版 3 刷
	2010年 7 月 1 日	初版 4 刷
	2010年 12 月 1 日	初版 5 刷
	2011年 4 月 1 日	2 版 1 刷
	2011年 12 月 1 日	2 版 2 刷
	2012年 3 月 10 日	3 版 1 刷
	2012年 7 月 10 日	3 版 2 刷
	2013年 1 月 30 日	3 版 3 刷
	2013年 3 月 10 日	3 版 4 刷
	2013年 6 月 30 日	3 版 5 刷
	2015年 10 月 30 日	4 版 1 刷
	2017年 3 月 1 日	4 版 2 刷
	2017年 5 月 15 日	5 版 1 刷
	2018年 10 月 1 日	5 版 2 刷
	2020年 7 月 1 日	5 版 3 刷
	2020年 10 月 1 日	6 版 1 刷
	2022年 9 月 10 日	7 版 1 刷
	2024年 12 月 1 日	7 版 2 刷

著　者　新井基洋

発行者　株式会社　中外医学社
代表取締役　青木　滋

〒162-0805　東京都新宿区矢来町 62
電　話　03-3268-2701(代)
振替口座　00190-1-98814 番

印刷・製本/横山印刷㈱　〈SK・HU〉
ISBN978-4-498-06286-3　Printed in Japan